WORDSEARCH

WORDSEARCH

ARCTURUS

ARCTURUS

This edition published in 2018 by Arcturus Publishing Limited
26/27 Bickels Yard, 151–153 Bermondsey Street,
London SE1 3HA

ISBN: 978-1-78828-214-7
AD005892NT

Printed in China

Herbs and Spices

```
N G Y T N I M R A E P S D
S I Y C U C S D Z P V W G
O C R A H Y P E R I C U M
S S R P U C A C S E E L P
O E U E E V I D N E P K I
I I C R E P I N U J I L J
C Y S A X C O S Z P Y E T
E A C P M F I Y D Q V R R
I L R H I B L P B J A R A
N C L A E L A O S Q N O N
I U X J W R R I C L I S K
J M L Q S A V O S N L J D
D I X O G N Y I I S L A I
V N A E S I N A L T A E L
L E M O N B A L M N P C L
```

◊ ALLSPICE   ◊ CHERVIL   ◊ JUNIPER

◊ ANISE   ◊ CUMIN   ◊ LEMON BALM

◊ BORAGE   ◊ CURRY   ◊ MACE

◊ CAPER   ◊ DILL   ◊ SORREL

◊ CARAWAY   ◊ ENDIVE   ◊ SPEARMINT

◊ CASSIA   ◊ HYPERICUM   ◊ VANILLA

2 Easter

```
N N D A U S Z B M O T H L
B A S K E T X K E O M B I
A N O I T C E R R U S E R
H D N Y V L R N N Z Z C P
R E L P A F I O N P B R A
O I M A L D I D M O F O F
L T E B S S I D O P B S H
P O I M S T U L X F X S E
B E Z A D C S N O N F I I
H D P L K Y A U H H L A S
R S M L N U D E P X T N D
W V I N T T A E Y P B N P
T N U F E V G D X T E H A
G B S N E G D I Q L T R L
E V A N S O U O R I R N M
```

◊ APRIL

◊ BASKET

◊ BONNET

◊ BUNNY

◊ CROSS

◊ DAFFODIL

◊ DUCKLING

◊ EGGS

◊ FISH

◊ HEAVEN

◊ HOLIDAY

◊ LAMB

◊ LAST SUPPER

◊ LILY

◊ PALM

◊ PASSION

◊ RESUR-
  RECTION

◊ TOMB

Ancient Cities

```
H D A N F O R R Z A G U Y
T T E M A P A M E A N A O
O R K L E S O J V Y B A R
B H O T O O J L N F F U T
O O R P A S P A R T A S J
H A A S A T L A K I T I O
E D K S B T R K R D N L D
R Y R K M A A E M O V O B
C E O B W X A P D A M P Y
C N T N U I O L O I M E B
O Y I E R L U W B R R S L
P Z R Q X A I V I E R R O
A A I E R O M S S D K E S
N O N I N P R I E N E P C
D D D N E E D W F G E N G
```

◊ AKROTIRI   ◊ CYRENE   ◊ ROME

◊ APAMEA   ◊ DELOS   ◊ SPARTA

◊ BAALBEK   ◊ PERSEPOLIS   ◊ TAXILA

◊ BYBLOS   ◊ PETRA   ◊ TIKAL

◊ CERRO PATAPO   ◊ PRIENE   ◊ TROY

◊ REHOBOTH   ◊ WROXETER

◊ COPAN

On the Edge

```
Q Y I L D D S S Y B S I J
N V I E E R M R A T Y L F
I P I T E B R I R D Z S I
C T X N O J F I U D B L O
M I R R L I K L V E R G E
T O D S N S F L A D I N V
C E Z D T T G F I N N R D
R R X U A B S B L M K Z L
I G O T L T O E G G I P O
D E V X R U V C R E S T H
G S G G N E E B O U N D S
E A O D B V M D B N R R E
U Z A V E E C I I M G B R
N R M S N L Y Z T S U G H
Y G N J A U D E W Y C T T
```

◊ BEVEL   ◊ CREST   ◊ OUTSKIRTS

◊ BORDER   ◊ EXTREMITY   ◊ RIDGE

◊ BOUNDARY   ◊ FLANK   ◊ RIM

◊ BOUNDS   ◊ LEDGE   ◊ SIDE

◊ BRINK   ◊ LIMIT   ◊ THRESHOLD

◊ CORNER   ◊ LIP   ◊ VERGE

Flying Machines

```
O T R E D I L G A R A P L
F D R M D O A I N X N E A
Z P A P I R R M X I T N N
L M V N S C E S A T A O C
V A D C R Y R P A S O R A
T D D A O O H O P L E D S
T E F N A N T A L O K V T
E T N L L E C A R I H H E
J G I A K E B O N R G C R
P U A C C H X T R O I H A
M L O R V I U B O D S E T
U R A A I P R S L A E I R
J F I L S M F R E I K P L
T N E V T N Y X U M M E V
H O T I U Q S O M H S P K
```

◊ AIRCRAFT   ◊ HARRIER   ◊ MOSQUITO

◊ BALLOON   ◊ HURRICANE   ◊ PARAGLIDER

◊ BLIMP   ◊ JUMP JET   ◊ ROCKET

◊ CHOPPER   ◊ LANCASTER   ◊ SPACECRAFT

◊ CONCORDE   ◊ MICROLIGHT   ◊ SPUTNIK

◊ DRONE   ◊ MIRAGE   ◊ TORNADO

6   Three Times Over

```
T O T T E Z R E T H N O E
F R V A E L H P I R B L G
T K I P T R E B L E B O T
T R L N O Z N D N E I R R
E D E D I T D A R R E O I
T T F B B T T T R B E T N
A Y A E T T Y H L Y G T I
C R Y C D E T E R E R E T
I A F I I O R T K I Y Z Y
L N T R M L E Z N E C R C
P R E H T R P I E C O E I
I E E T N L T I I T E T N
R T H A D Y N R R F T D I
T H R I C E H E R T W O R
T Y I E T A C I L P I R T
```

◇ TERNARY   ◇ THRICE   ◇ TRINITY

◇ TERNARY   ◇ THRICE   ◇ TRINITY

◇ TERNARY   ◇ THRICE   ◇ TRINITY

◇ TERZETTO   ◇ TREBLE   ◇ TRIPLICATE

◇ TERZETTO   ◇ TREBLE   ◇ TRIPLICATE

◇ TERZETTO   ◇ TREBLE   ◇ TRIPLICATE

Cooking

```
Y R H A G I S C I N A S B
D E C O E Y F I R A L C Q
X M A O D O N Z F B O I L
D M O I R H S S R F T S B
E I P J J L C F S B A K E
L S O J W U L N M Q E E D
D H M A E T S L A M Y T A
D E E M T T C T E L I U M
O S E K S S A L W A B A H
C S E P O D B N T O A S T
L R X E F M H H I S D A V
C L I R A R S T O R E A I
B Z I R B P Y U I W A Q C
E V C R Y A S W S V Y M Q
Y S X W G E W U Q J L M B
```

◊ BAKE   ◊ GRILL   ◊ SMOKE

◊ BLANCH   ◊ MARINATE   ◊ SOUSE

◊ BOIL   ◊ POACH   ◊ STEAM

◊ CLARIFY   ◊ SAUTE   ◊ STEW

◊ CODDLE   ◊ SCRAMBLE   ◊ SWEAT

◊ DEEP-FRY   ◊ SIMMER   ◊ TOAST

8 Dressmaking

```
U N E Y S Q A N O T T U B
L B S Y Q L Z A F A K D O
W E S I T S T A E L P V N
H C H A L K G S T R A D M
E N J E H K H N E E D L E
M L E E H S D D I F N F N
M R P N C I G W M W N G F
I A O A Z I N S A S E F A
N Y G F N S I R C X R S D
G E A G S H S I H Y E A E
V Q L Q S S S L I Y A C W
X O C K K S E F N M A R X
S T B V O D R R E L N P N
I W R R O T P Z D I W Z Q
N O S M H M W A K S M S F
```

◊ BUTTON   ◊ HOOKS   ◊ PRESSING

◊ CHALK   ◊ LACE   ◊ REELS

◊ DARTS   ◊ MACHINE   ◊ SCISSORS

◊ DRESS FORM   ◊ MODEL   ◊ SEWING

◊ EDGING   ◊ NEEDLE   ◊ SILK

◊ HEMMING   ◊ PLEAT   ◊ YARN

Children's Book Characters

```
O L O Z E O Q A S K Z M O
J W P H O E N I X B H S I
R V D L E B A I R R W W H
M S A Y T S S E A E L F C
O B O P I A R Q B R E D C
V R X V H R R B A W T T O
E I F A A R E K B O E G N
V I F B R V A T A L R R I
Y N B S Y O A P G F G D P
H I Y X N D L I U E P D A
T G I P A P P E P N A Y K
O D Y W R N S Y H D Z E C
R Y W O N S E I P T I E I
O G A L L E R E D N I C L
D Y B A L E S N A H S N F
```

◊ BABAR
◊ BALOO
◊ BRER RABBIT
◊ BRER WOLF
◊ CINDERELLA
◊ DOROTHY

◊ EEYORE
◊ FLICKA
◊ GRETEL
◊ HANSEL
◊ PEPPA PIG
◊ PHOENIX

◊ PIGLET
◊ PINOCCHIO
◊ RAPUNZEL
◊ SNOWY
◊ TARKA
◊ THE LORAX

Heteronyms

```
S S A B U G N T N W T I D
R F V T E A R A E C O L M
E N C V G O U F T F S R S
I D I S C A R D C A O A E
N R D S E Q N E E E L N S
E C E S N D T C J W V D U
D I O O O A N D E J E K C
W L M L I A W U R C T I X
C K R P R Z C E O L U Y E
Q O F T A O E N O W G K L
N A N P N C S U L N I O L
S E F T R O T O R E B E L
I L E D L K A N E E S B E
O N R E C R E A T I O N K
T D S E V W R E F U S E R
```

◊ BASS

◊ CLOSE

◊ CONSOLE

◊ CONTENT

◊ DENIER

◊ DISCARD

◊ ENTRANCE

◊ ESCORT

◊ EXCUSE

◊ IMPACT

◊ NATAL

◊ REBEL

◊ RECREATION

◊ REFUSE

◊ REJECT

◊ ROW

◊ TEAR

◊ WOUND

Show Jumping

```
E X H N Q H R C O T U P E
E L U S D T E R I D E R U
O R R O L F L M E N A W F
O E F O L I I L D V N I A
E T L M S L A T N H E T U
D N N A E E R R N S R N L
B A D M I N T O N N A M T
I C I H Q E A T W R S N S
R T E G N E O O E U S P R
L E O G R X L A H T A E E
L S N E U J S D E A R N L
B L A N K E T K D D G A B
I R R X I U A C G A Q L A
I H I L X W A I E A S T T
S K A E Z D F Q U M O Y S
```

◊ ARENA   ◊ GRASS   ◊ SADDLE

◊ BADMINTON   ◊ HEDGE   ◊ STABLE

◊ BLANKET   ◊ PENALTY   ◊ TIME LIMIT

◊ CANTER   ◊ RAILS   ◊ TRAILER

◊ EVENT   ◊ RIDER   ◊ TURNS

◊ FAULTS   ◊ ROSETTE   ◊ WINNER

12   **Canals**

```
D E D A V V H A H D S B I
L A Y F Z E U S W U R J E
H O A S H T O N M I Q N S
B L N Z N O Y L T T I U Z
T D O E L V G Z H T M W K
Z S R B Y D G O S Z C Z G
E T R B N E L A D H C O R
O D I R V F L I E A X L A
G I I N S V E T T A W G N
E E H S B V I M H M E R D
W Z T A T E K Q N I Z I U
S P D R V S I M I A M I N
O D N I L E A R V S N A I
E A N H S J L E G K R J O
Z D E A R E D A M P O A N
```

◊ ASHTON   ◊ HAVEL   ◊ ROCHDALE

◊ BRITZ   ◊ KIEL   ◊ SAIMAA

◊ BYDGOSZCZ   ◊ LINDO   ◊ STINE

◊ EASTSIDE   ◊ MADERA   ◊ SUEZ

◊ GRAND UNION   ◊ MIAMI   ◊ TRENT

◊ GRIEBNITZ   ◊ OSWEGO   ◊ VINH TE

Bobs and Roberts

```
H P I W A G N E R D G G T
X R B A M S V P C E R C L
E R E D N A L G N E A O I
A R K N F R L S B E E E F
J K O E O L A N U G T M A
R X O Q I T E P O H Z O Y
M D H R P H S Z C S O N B
D Y R J C O T R B L A K E
C E H S O N E O H S Y H W
M T U Q E E V O B N I O D
W A L L L H E D X R E U U
R K B E W G N B V U F S D
H J Y F R O S T P B C E L
E R R C R O O K D K Y G T
L U D L U M N H T B E U Y
```

◊ BLAKE

◊ BURNS

◊ BYRD

◊ CREELEY

◊ ENGLAND

◊ FORD

◊ FROST

◊ GRAETZ

◊ HOOKE

◊ HOPE

◊ LUDLUM

◊ MERRILL

◊ MONKHOUSE

◊ MOOG

◊ RAUSCHEN-
BERG

◊ STEVENSON

◊ STONE

◊ WAGNER

Wood Types

```
F T U C E T Z X B K K B T
E N M A Y V H B M I A C R
A L C R R P G S V L R E A
T Q N A N Q R N A F E C T
F I A D R L H E W R K N H
Z I H N O C R B S I F N O
O T R A X O N T Y S L L K
S C O S I L W J C N C A G
Y B S V N I T L M G O U H
C W E B L V L Q A U G B C
A S W L R E E Q Z D P L E
M M O B J I Z F O N N R E
O W O W S G A T L V S A B
R H D E I L H R B Z L D S
E O A W Y L S E Q U O I A
```

◊ ASH   ◊ ELM   ◊ SANDALWOOD

◊ BEECH   ◊ FIR   ◊ SANDARAC

◊ BIRCH   ◊ HAZEL   ◊ SEQUOIA

◊ BRIAR   ◊ OAK   ◊ SYCAMORE

◊ CYPRESS   ◊ OLIVE   ◊ TEAK

◊ EBONY   ◊ ROSEWOOD   ◊ WILLOW

"ILL" Starts

```
I I N E T A R T S U L L I
L I L A A I R Y L L I I H
L T Y L L E B H L W O L I
F I L L T R E A T E D L L
A S U S T T R C I I E W L
T D U O S E T L I L L I E
E L L O B E A I F D I L G
D L E I I G N V C I L L I
I I L D E R B L L I L I B
O L L L S E T L L O L L L
I V L L L I F S D I U L E
E I T L E E O E U O C U I
E M I D D Z O N C L K M L
G N I T T I F L L I L E L
I L L C I L L U S E C I I
```

◊ ILL LUCK   ◊ ILL-FED   ◊ ILLUDE

◊ ILL WILL   ◊ ILL-FITTING   ◊ ILLUME

◊ ILL-BRED   ◊ ILLIBERAL   ◊ ILL-USE

◊ ILLEGAL   ◊ ILLICIT   ◊ ILLUSTRATE

◊ ILLEGIBLE   ◊ ILLNESS   ◊ ILLUSTRIOUS

◊ ILL-FATED   ◊ ILL-TREATED   ◊ ILLYRIA

16　　　　　**Flowers**

```
K R A A L D C S D P U W T
I J M V I P K O F I D N K
U B S A E K I F N L I S H
A H X O G G C U N U H U N
D W N N A N P E S T C S T
N Y S X R Q O T B T R S E
M A Q I O F A L M D O I M
A H I S N T S U I L U C R
P I G R I I I A O A X R K
M U V C E H M A N A D A L
A V E L T L C I T N O N I
L O Q N A A A P M M A L L
L N A L L S N V G O T N Y
O X L I P N E S O T S D G
W C L A R K I A Y K J A E
```

◊ CLARKIA   ◊ NARCISSUS   ◊ STATICE

◊ LILAC   ◊ ORCHID   ◊ STOCK

◊ LILY   ◊ OXLIP   ◊ TANSY

◊ MAGNOLIA   ◊ PEONY   ◊ TULIP

◊ MALLOW   ◊ RUDBECKIA   ◊ VALERIAN

◊ MIMOSA   ◊ SALVIA   ◊ XANTHIUM

Wedding

```
T B Y D S S R U E D I R B
E A B D W R Z Q O F J W O
R N D O A I A I E O K X U
R N V H U H X C H U R C H
E S B M E Q L A G Y E V X
G N E E M I U S E L I M S
P E I O N A L E O L A B S
D R O S M C X H T R T D S
R N E H U O N O R S Y R G
S P Y T A O O Y Z S F A N
F O K Y T O M R T E E C I
S E C T T Y K I G R S I R
R C U A E I F E L D A V Y
M B L C I R X D S J K I C
N O I T A N R A C G I J N
```

◊ BANNS ◊ CHURCH ◊ PRETTY

◊ BOUQUET ◊ DRESS ◊ RINGS

◊ BRIDE ◊ GROOM ◊ SMILES

◊ BUTTONHOLE ◊ LIMOUSINE ◊ TRAIN

◊ CARNATION ◊ LUCKY ◊ VICAR

◊ CARS ◊ MARRY ◊ VOWS

```
T F T T O F F O N I P S R
N F C T D A U K T Q S R W
E O T T S Y L P L I S A U
M Y Q C W N U A S I U C R
G A H I U T L K D H M R Q
D P U S I D R R S D O F F
U T H S O R O N L X V T Q
J T C U P L E R O C S C K
S E R E E N U B P A T I D
R T L U F E B T X H F D E
S E Q M H F T T I I Y R N
V E A T J U E F N O R E D
S R E W S N A I B O N V I
K I D E C I S I O N W Y N
X J T S A H F G R A D E G
```

◊ ANSWER   ◊ GRADE   ◊ SCORE

◊ DECISION   ◊ ISSUE   ◊ SEQUEL

◊ EFFECT   ◊ JUDGMENT   ◊ SOLUTION

◊ ENDING   ◊ MARK   ◊ SPIN-OFF

◊ FINISH   ◊ PAY-OFF   ◊ UPSHOT

◊ FRUIT   ◊ PRODUCT   ◊ VERDICT

Varieties of Onion

```
O O G N O T T E S G Z U K
N M L R L E A A A T J A A
H O G A T D N G O J M T F
P Y R Z F N Q U J A W O U
H Q T A A F G N L G D N H
G K F S B H U N U R Q D I
Y O O F B D O B E O N A K
R R L A T T E C F O W M E
T J L D Y J T R R O L U E
N L N H I E O U R X F S P
E K T X J T T O R F N O E
S R W M L S O M O B Y N R
D G C G J E U R Q S O A T
I Z A K K T U D O N P E Q
O C R A M M Z C L L D I Z
```

◊ BUFFALO

◊ FORUM

◊ GOLDITO

◊ HI KEEPER

◊ HYGRO

◊ HYTON

◊ JAGRO

◊ JETSET

◊ KAMAL

◊ MARCO

◊ RED BARON

◊ ROSANNA

◊ SENTRY

◊ SETTON

◊ STURON

◊ TONDA
  MUSONA

◊ TOUGHBALL

◊ TURBO

20   Muscles

```
O M O H Y O I D D M D F D
S P L A T Y S M A G D M S
P T J O R S U C A I L I U
X X A Q A W S J W M L R E
A F T P P P Y O S O C R D
B Y L G E L Y U L A M E I
D C E C Z D E O R E L T O
O Q I V I T I D O T U E B
M B L W U Y I U O A T S M
I O S L S A A I S Z K S O
N H G L C S D A D K B A H
A S A O S P E C I R T M R
L P M R H R B R E C T U S
S A R T O R I U S S R L R
N X S P E C I R D A U Q N
```

◊ ABDOMINAL

◊ BICEPS

◊ CARDIAC

◊ DELTOID

◊ GLUTEUS

◊ ILIACUS

◊ MASSETER

◊ OMOHYOID

◊ PLATYSMA

◊ PSOAS

◊ QUADRICEPS

◊ RECTUS

◊ RHOMBOID-
EUS

◊ SARTORIUS

◊ SOLEUS

◊ STAPEDIUS

◊ TRAPEZIUS

◊ TRICEPS

On Fire

```
Q T A C E F T I H T R A Y
X P M S O T D H X R M R P
S U V J X M I K G W E J G
U T N U T T B X B I O O J
B I N F M Z V U F H L O H
N L S R S C N G S G S A D
P O R G G Y G L N T R R G
E S O L N B N I E S I N T
O L I F Y I L H O I I O X
U J D L O D C N D L P K N
E A H N N T S X K O P A T
H E N I A W I C K P J S M
D V K M I C A E L A O C T
F M K O D R R F U O A I I
P E A T C W D E T A E H U
```

◊ ALIGHT   ◊ CRACKLING   ◊ MATCH

◊ ARSON   ◊ FIERY   ◊ PEAT

◊ CANDLE   ◊ HEATED   ◊ POKER

◊ COAL   ◊ KINDLING   ◊ SOOT

◊ COKE   ◊ LIT UP   ◊ WICK

◊ COMBUSTION   ◊ LOGS   ◊ WOOD

"ABLE" Endings

```
E  L  B  A  N  U  E  L  B  A  A  Q  E
D  U  R  E  F  U  T  A  B  L  E  L  O
E  E  L  B  A  K  R  O  W  M  B  A  E
L  L  C  A  Y  E  M  C  I  A  S  P  L
B  I  B  O  U  I  L  L  I  R  U  N  B
A  H  K  A  N  D  J  M  G  R  S  E  A
O  C  A  A  W  C  A  O  A  I  T  X  E
E  F  B  N  F  O  E  B  U  A  A  C  G
V  L  L  I  C  R  L  I  L  G  I  U  N
E  L  B  A  E  K  I  L  V  E  N  S  A
E  L  B  A  I  L  P  A  A  A  A  A  H
E  L  B  A  I  T  A  S  B  B  B  B  C
L  N  A  U  I  V  C  A  D  L  L  L  X
B  B  E  L  B  A  N  S  R  E  E  E  E
A  E  L  B  A  I  N  E  D  A  B  L  E
```

◊ ABOMINABLE

◊ ALLOWABLE

◊ AMIABLE

◊ CONCEIVABLE

◊ DENIABLE

◊ ENVIABLE

◊ EXCHANGE-
ABLE

◊ EXCUSABLE

◊ FRIABLE

◊ LAUDABLE

◊ LIKEABLE

◊ MARRIAGE-
ABLE

◊ PLIABLE

◊ REFUTABLE

◊ SATIABLE

◊ SUSTAINABLE

◊ UNABLE

◊ WORKABLE

```
G M V N S L N M S E E D F
D O A S E L F S D R L A N
H D L I S S L I A B U Y S
T S W D T E R I S F P A R
L I U I T P N N K B E S A
A W B H J I E L U S S T E
E A K T O R M D L N I B Y
H I O J U B G E O I N B N
A L I S R E B I R T O Q E
N M I V T E T I J R C X D
V E J O R I A R E C A L L
L N T Y D Q H D B S N L O
D T B A N I O R I O Q X G
J S R G K M B T L N A T N
L T I E K C V A H O G V R
```

◊ AILMENTS   ◊ HOBBIES   ◊ RECALL

◊ BOREDOM   ◊ ILLNESS   ◊ SAFETY

◊ BUDGET   ◊ LEISURE   ◊ SKILLS

◊ GOLDEN   ◊ OLD-TIMER   ◊ TRADITIONS
  YEARS
                    ◊ PRIDE   ◊ VOYAGE
◊ HABITS
                    ◊ READING   ◊ WISDOM
◊ HEALTH

"FOOT" First

```
L  I  G  Z  E  N  O  B  H  L  H  K  E
N  O  X  R  F  N  W  A  R  M  E  R  O
L  T  O  U  K  Z  U  G  N  R  J  K  L
P  C  V  S  R  E  G  N  E  S  S  A  P
L  I  O  L  E  Z  S  T  E  P  I  A  W
S  F  U  M  A  U  S  D  H  O  K  R  P
A  F  N  B  R  T  I  H  R  C  F  R  R
P  A  L  E  A  P  F  W  E  A  R  E  I
D  R  K  L  B  T  W  Z  M  Z  O  L  N
J  T  L  D  N  H  H  V  B  E  S  B  T
H  P  N  M  D  Y  D  O  C  T  O  R  S
Y  I  X  R  H  A  E  O  O  K  H  E  L
K  T  L  E  V  E  R  O  T  O  R  O  Y
W  L  B  L  N  T  L  E  L  O  X  A  E
X  R  R  E  S  A  B  D  S  O  N  D  M
```

◊ BATH   ◊ LOOSE   ◊ STEP

◊ BOARD   ◊ MARK   ◊ STOOL

◊ DOCTOR   ◊ PASSENGER   ◊ SURE

◊ HILLS   ◊ PRINTS   ◊ TRAFFIC

◊ HOLD   ◊ SORE   ◊ WARMER

◊ LEVER   ◊ STALL   ◊ WEAR

```
M E P E L O D B Q M S E M
E D A M E I G M E U H U E
H N E I A K E D O Q M W R
T M E M I R A L D E M C E
M P R O G L U K N E O I D
E E L E S C R I T M U H M
M O R L I W A H E D E P M
C I H T I L O S E M M R E
M R E S T D S H E E L O G
E M N G N I S S E M X M A
C M E M A E R E M R A A C
C K E H M T M E D E D T Y
A N M E T T L E M H I E C
U C M U I D E M E M T M L
G V R M E U S N T E M S E
```

◊ MECCA ◊ MENU ◊ MESSIAH

◊ MEDALS ◊ MERGER ◊ MESSING

◊ MEDIUM ◊ MERIT ◊ META-
MORPHIC

◊ MEDLAR ◊ MERMAID

◊ METHOD

◊ MEGACYCLE ◊ MESHED

◊ METICULOUS

◊ MENIAL ◊ MESOLITHIC

◊ METTLE

"NIGHT ..."

```
R R X D D U D H M C F X Y
R H P J D N T E L O N V J
A I P T A F A O B E K I O
E N Q J I Z T M O A F S A
W L L H F H C E H E O I S
T C S T E M C E D C S O L
E A O S J R R V W G T N J
S P L D A S A Q C Z H A Q
S W U Q N U W M V T U N W
O D C L U B L G L G T K G
E P R H E S E M Z E W V I
S A O E T D R G R A R F D
P N R R S Z L R H S W A Y
N I Z O F S O S T F I L J
W M L N E R K B L M U L D
```

◊ CAP ◊ HAWK ◊ SHIFT

◊ CLOTHES ◊ HERON ◊ SPOT

◊ CLUB ◊ JAR ◊ TERROR

◊ CRAWLER ◊ LIFE ◊ VISION

◊ DRESS ◊ MARE ◊ WATCHMAN

◊ FALL ◊ OWL ◊ WEAR

Kitchen Items

```
O E G D R E N I A R T S R
C E T R L U B L N L K E E
O U N A A A S N R P S O N
C C P O L T R I V E T P I
Q C Y B Q P E L E V D I A
E O U G O F R R C V P E R
H F V N S A I E R N E D D
B F S I A O R S N X T I K
L E A P G X U D H N N S L
A E V P A G O P S F I H V
D P P O S T U L B H O D E
L O Z H T C U Z W O T R K
E T G C A S D L J E W E K
N I K E M A R L A W F L L
Z Q T Z S E I I T L J X S
```

◊ CHOPPING BOARD

◊ COFFEE POT

◊ CUPBOARDS

◊ DINNER PLATE

◊ DRAINER

◊ FISH FORK

◊ GRATER

◊ LADLE

◊ PIE DISH

◊ RAMEKIN

◊ SIEVE

◊ SOUP BOWL

◊ SPATULA

◊ STOVE

◊ STRAINER

◊ TEACUP

◊ TRIVET

◊ WHISK

Prepositions

```
E Q Q W R S D N A R T H D
O J F Z W I T H O U T H L
T S R O F S V I N W I G O
N G N O L A H I L O K U E
I X X Q N L C G K L H O O
G R R D V W O L S E T R C
N E X R L V O W L B L H D
I T R E G A R D I N G T G
N F T L P R R X T N I R L
R A G R O A E B N K G O P
E R O F E B E V U N U I W
C D F N N H H A O N T R D
N S Z R I E D E D I S N I
O Z Q N O Y T E L G M B Z
C J D L I M R V A A E R Y
```

◊ AFTER   ◊ DOWN   ◊ OVER

◊ ALONG   ◊ FOLLOWING   ◊ REGARDING

◊ BEFORE   ◊ FROM   ◊ THROUGH

◊ BEHIND   ◊ INSIDE   ◊ UNDER

◊ BELOW   ◊ INTO   ◊ UNTIL

◊ CONCERNING   ◊ NEAR   ◊ WITHOUT

Homophones

```
F I T G S T N E S E R P Y
A E P R A I S E S S T R R
O R R O S R S N T S D E E
A A G W D A A A R O S S N
N H T N F O T C B E A E O
M E H D R I O G S A Q N I
O O G G O I S L G U S C T
N D U N L H Y K A F E E A
Q G A R D E A D E B J T T
I R R E N E R I T R M E S
Y E D S R I P A R R L Y T
E X K E D Z N Q T B S F C
L V N O I Z A G N F A L T
S S M O R N I N G R O S I
L O B M Y S S K D B C J S
```

◊ BASE   ◊ GROAN   ◊ PRAISE

◊ BASS   ◊ GROWN   ◊ PRAYS

◊ CYMBAL   ◊ HAIR   ◊ PRESENCE

◊ SYMBOL   ◊ HARE   ◊ PRESENTS

◊ DRAFT   ◊ MORNING   ◊ STATIONARY

◊ DRAUGHT   ◊ MOURNING   ◊ STATIONERY

30   **Famous People**

```
Y H S K N A B A R Y T M O
V D K D H B N L P G Y S B
O M E B O L R N N E P O N
R R M L D E H I E I L X B
S E E A H C K F K R X E H
J N R C H B N E S W I D I
S F I G B A L A E S D C A
E E L M H E I B O N O K E
L H L E E T L M C P T J L
S H A N I A T W A I N A R
S G G I G R H K D O A Y P
W U A M R Y N E S D N L D
N H S E E B K E A L L E R
L E S I F I M A D O N N A
E Q E H M N A L Y D B O B
```

◊ ANNE RICE   ◊ EMINEM   ◊ MIKE DITKA

◊ BB KING   ◊ FERGIE   ◊ PELE

◊ BOB DYLAN   ◊ HUGH HEFNER   ◊ SEAL

◊ BONO   ◊ JAY LENO   ◊ SHANIA TWAIN

◊ CHER   ◊ MADONNA   ◊ SPIKE LEE

◊ EMERIL LAGASSE   ◊ MIA HAMM   ◊ TYRA BANKS

Lord of the Rings

```
U E V T P F K B I E P A I
S U L K B F L A D N A G G
A G Y K L A A E X S O M N
R N W R Q X L C O L I O I
W O N P R X B R L K W R L
E T N I N E D U O L D R M
N M A I R O M B K G Y C A
T R O Q Q P M R R C M H G
A O T R O L L E M G W R J
T W L R D T F T R O H A N
Q T T I U O L T Q K R L F
W I Z A R D R U H N O C B
E M V C E L E B R I A N S
L E I R D A L A G I M L I
Z L F K O W T O Y B K S R
```

◊ ARWEN   ◊ GAMLING   ◊ MORIA

◊ BALROG   ◊ GANDALF   ◊ ORCS

◊ BUTTERBUR   ◊ GIMLI   ◊ ROHAN

◊ CELEBRIAN   ◊ GOLLUM   ◊ TROLL

◊ ELF   ◊ MERRY   ◊ WIZARD

◊ GALADRIEL   ◊ MORDOR   ◊ WORM-
                                      TONGUE

African Tribes

```
I D E K H O I K H O I P B
Q S T N U E I G K K S Y Y
A N E D I N K A Z I B G A
L M B A W H A R T O S M V
B T S T Z L I G S N R Y H
O A O A Y F A N G Y O U Y
M W B H L O R S N A T D R
A G L L U H W D O U H I B
Y E R O I T G R J I S C L
S R D V R O O F O X V N L
T A F A R S M N M X L K R
K U H A U S A E A L Q D U
U T T T A E J S R I S L D
T B A S U T O C A U U C E
Z W E P I X S E K Z X D O
```

◊ AFARS   ◊ HAUSA   ◊ PYGMY

◊ BASUTO   ◊ HUTU   ◊ SOTHO

◊ BETE   ◊ KARAMOJONG   ◊ TUAREG

◊ CHAGGA   ◊ KHOIKHOI   ◊ TUTSI

◊ DINKA   ◊ MASAI   ◊ YAO

◊ FANG   ◊ MERU   ◊ ZULU

Agitation

```
U  I  T  N  E  M  E  T  I  C  X  E  T
D  N  G  B  L  E  N  D  I  N  G  E  T
R  C  T  E  N  S  I  O  N  E  X  A  N
E  O  A  A  B  G  J  T  Y  C  A  F  E
L  G  S  T  I  R  R  I  N  G  D  I  M
T  E  D  I  S  T  U  R  B  A  N  C  E
T  L  L  N  G  M  V  O  N  T  T  R  V
S  U  U  G  G  N  I  L  I  O  B  D  O
E  G  P  M  G  M  I  X  I  N  G  M  M
R  N  E  H  U  U  T  L  H  O  R  O  V
N  I  V  O  E  T  R  W  F  A  S  K  R
U  R  S  X  H  A  O  T  L  F  R  D  T
T  R  D  I  M  R  V  A  S  M  U  D  B
J  A  R  C  R  U  S  A  D  E  C  R  E
T  J  C  Y  C  N  N  A  L  L  L  E  O
```

◊ ALARM   ◊ EXCITEMENT   ◊ STRUGGLE

◊ BEATING   ◊ JARRING   ◊ TENSION

◊ BLENDING   ◊ MIXING   ◊ TUMULT

◊ BOILING   ◊ MOVEMENT   ◊ UNREST

◊ CRUSADE   ◊ RUFFLING   ◊ UPHEAVAL

◊ DISTURB-   ◊ STIRRING   ◊ WORRY
   ANCE

"END" Inside

```
S D N E E A U A F D N E N
M N I T N R R U G W P T D
R E D N E R O D N E V R N
N R E D P N E A K D N L E
M T N F L F D E N D E D L
R E G T E N S E S N L D A
G R N N E B L V R E B E W
N C D D E E I R N A D I
I S D D E N N E Q O D N S
D A M R D R D D Y E N E E
N L U E R N E E D U E M N
E J T I E R R N E Q M A D
B T T E N D E N C Y M R I
A E E D O F D N E A O S N
P I E N D O Y D N E C I G
```

◊ ADDENDA

◊ AGENDA

◊ AMENDED

◊ BENDING

◊ COMMEND-
ABLE

◊ DEFENDS

◊ FENDED

◊ GENDER

◊ INNUENDO

◊ MENDER

◊ RENDER

◊ SENDING

◊ SLENDER

◊ TENDENCY

◊ TENDER

◊ TREND

◊ VENDETTA

◊ VENDOR

US State Nicknames

```
A O I A B F B N Q B L N K
I M H T P G A E M M T E A
I W A T O E H B E A V E R
E N M G C L O O G H C E Z
Y N N O N Y L S A A I E T
R S O O U O A H R P R V G
G H T T I N L X E U D E E
D O B S S N T I S W N R D
P W L N R Y I A A A E G G
R M Y D K I E M I N Z R L
A E D J E R F K O N H E W
I A L Y T N P O E D I E S
R P E A C H S X O A D N R
I A L B L S L N I T M L O
E S R P O A I L A A C K O
```

◊ ALOHA

◊ BAY

◊ BEAVER

◊ BEEHIVE

◊ EVERGREEN

◊ FIRST

◊ GEM

◊ GOLDEN

◊ KEYSTONE

◊ MAGNOLIA

◊ MOUNTAIN

◊ OCEAN

◊ OLD DOMINION

◊ PEACH

◊ PRAIRIE

◊ SHOW-ME

◊ SOONER

◊ TREASURE

Roman Emperors

```
T L S S U C I R T E T E A
I A G O U A U G O G N D E
B I V L A L U G I L A C M
E B I R Y S N H G C S T I
R A E H E C O S R A E O L
I K D H O N E E A R V L I
U S X D O P S R T I E I A
S W W R R S U R I N R C N
I G I N O S T L A U U I O
E U E R U M I I N S S N R
S R T T E C C S L N L I S
V O I O I T A T T I R U E
L V T E R J T R R M A S U
A T U F T E F W U E T N O
A Z S S P S N A T S N O C
```

◊ AEMILIAN   ◊ GLYCERIUS   ◊ NERVA

◊ AVITUS   ◊ GRATIAN   ◊ SEVERUS

◊ CALIGULA   ◊ HONORIUS   ◊ TACITUS

◊ CARINUS   ◊ HOSTILIAN   ◊ TETRICUS

◊ CARUS   ◊ LICINIUS   ◊ TIBERIUS

◊ CONSTANS   ◊ NERO   ◊ TITUS

Scottish Lochs

```
N M U F I E N S W S S G K
I O K F C T I A L G A Z C
Q R D O L V X U A D T R A
P A K L E T W S B X A D N
E R T N L A S U S I Y O Y
N M A B E R R Y G E G N G
E I L B A R E A N A N A C
D F B D N H L N L L O S V
D P S O R L E S A V L R L
G A Q T I O O A I Y A A V
A G I A C S R E D U R T E
R Q N I T S D X O S H I J
T U O K L I O A N J H H P
E L X R E A C L L Z A A Y
N U E F E N D E R E P E W
```

◊ BAREAN   ◊ GYNACK   ◊ NESS

◊ BOISDALE   ◊ HEADSHAW   ◊ NEVIS

◊ BUIE   ◊ LAIDON   ◊ OSSIAN

◊ CRAIGALLIAN   ◊ LONG   ◊ RYAN

◊ FENDER   ◊ MABERRY   ◊ TARSAN

◊ GARTEN   ◊ MORAR   ◊ TRUDER-
                                      SCAIG

Time for Bed

```
C O N Y S W O R D Z M D X
G E W W I S T S T E E H S
N F D N O T E D H Z H Q I
I B A T P D P R S H T A B
H F E I R P R F T R M R C
S P R R A I R E L T R N B
A I P E Y M B D D T A N V
W L S D E D K B H I W M E
T L D G R Q Y G Z A E H K
E O E N S N I Z Y H H C Z
R W B I Y N L H U R Y R S
O U O Z D T W M A L E I O
P K C O L C M R A L A S I
U I O D W R B M A N E E T
A G F D I T P X T P F I B
```

◊ ALARM CLOCK ◊ GOODNIGHT ◊ REST

◊ BATH ◊ LAMP ◊ SHEETS

◊ BEDSPREAD ◊ MATTRESS ◊ TIRED

◊ DOZING ◊ PILLOW ◊ WARMTH

◊ DROWSY ◊ PRAYERS ◊ WASHING

◊ EIDERDOWN ◊ RELAX ◊ YAWN

Glaciers

```
E P N T I K O N Z V T H E
Q D I E R J R Y A T P T L
T X W A E A E X O H N A P
E I R A B E V S O R D K N
D Y A T I H I T Q A I E Y
M M D H V O L C H L M K M
U N E A T U O B A N R U T
N N K D M D O T U R A I U
D F F O X I Q B R L R B Y
S K E C H O R N E A A I D
D A P S R A I X R T L O E
J A R A R W S O U F J D R
F W P Y Z D R R K S I L E
J A Q J I U A T P H V A S
K S B I A F O S N G P W Y
```

◊ AURORA   ◊ EDMUNDS   ◊ NUBRA

◊ BATURA   ◊ EXIT   ◊ OLIVER

◊ BHADAL   ◊ FOX   ◊ REID

◊ BIAFO   ◊ HORNE   ◊ TURNABOUT

◊ CARRIE   ◊ HOTLUM   ◊ TVIBERI

◊ DARWIN   ◊ KAPAROQ-   ◊ WALDO
                TALIK

Beauty

```
P R E N I L E Y E D W S H
N G G P E R F U M E U S R
F M N R N J T V K P I D S
S I I S C V S T Y L I S T
R R T D F W S W O N U P S
O R N A A K A P M T O Q H
S O I E C N L S D K L E D
S R T U I I O A H E L N K
I T R M A I N B R I N S E
C L N N L A M U F C N M A
S O X W I N C L O L A G W
C R E A M I I N Z K B T S
D J R L N A S R E L L O R
M P A A N P R U C D V L R
R J M O L I P S T I C K R
```

◊ CREAM   ◊ MANICURE   ◊ ROLLERS

◊ CURLS   ◊ MIRROR   ◊ SALON

◊ EYELINER   ◊ NAIL FILE   ◊ SCISSORS

◊ FACIAL   ◊ NAIL POLISH   ◊ STYLIST

◊ LIPSTICK   ◊ PERFUME   ◊ TINTING

◊ MAKEUP   ◊ RINSE   ◊ WASHING

Wines

```
N L T N M I C E X J K J S
I D J M L L A I R I C J C
N A O P E T W L S C M N R
U I J U A D J J L Y A Z N
I R K C R B O D Y L R V B
H T S Q Q O H C B A C A A
O U S A R J A B P I O M H
M C U A L E N A E O B H T
K X R C H E N I N A R Y E
F I U H L R I L C M U D L
O R R J R L S N L A N N M
S E F O H C B N M C N T E
Y D C O S I E O W A E C P
M A C O N E R S Q S R A K
W K G I K A G A L A M H Q
```

◊ AROMA

◊ ASTI

◊ BEAUNE

◊ BLANC

◊ BODY

◊ CAVA

◊ CHENIN

◊ DOURO

◊ HOCK

◊ JOHANNIS-
  BERG

◊ MACON

◊ MALAGA

◊ MARCO-
  BRUNNER

◊ MEDOC

◊ MUSCAT

◊ NAPA

◊ ROSE

◊ SYRAH

```
S  S  U  E  B  I  N  S  E  I  E  S  B
R  M  P  L  S  U  C  N  N  H  E  S  Y
D  D  M  P  B  E  I  K  L  L  R  L  R
S  S  R  P  S  W  L  D  F  N  N  S  D
I  K  I  I  S  H  D  L  J  S  H  D  N
T  A  O  T  S  H  E  G  I  A  B  A  U
B  S  S  S  R  S  M  A  P  N  S  T  S
Y  S  E  A  S  I  D  E  R  S  G  A  M
O  T  G  N  H  T  D  Y  T  E  T  N  S
H  R  E  I  O  A  R  O  A  U  R  O  F
N  S  I  F  R  H  R  I  R  K  C  S  T
S  U  R  E  A  M  R  A  H  C  O  T  V
A  N  R  S  Y  S  T  R  E  S  S  S  B
S  I  O  L  S  E  A  R  I  E  S  V  D
S  S  S  E  P  H  O  S  A  F  T  A  S
```

◊ SAFETY   ◊ SHAPED   ◊ STIPPLE

◊ SAHARA   ◊ SHEARER   ◊ STOAT

◊ SATURATE   ◊ SHIRT   ◊ STORMY

◊ SEASIDE   ◊ SINUS   ◊ STRESS

◊ SELFLESS-   ◊ SOCCER   ◊ SUNDRY
  NESS
                ◊ SONATA   ◊ SWINE
◊ SELLING

Islands of the Atlantic

```
I  M  P  B  O  A  V  I  S  T  A  N  Z
Y  D  A  O  R  T  P  I  O  S  N  M  W
A  L  O  I  R  T  R  N  U  P  U  S  R
K  Z  D  V  O  T  D  S  T  F  I  S  W
A  J  R  O  R  D  O  I  H  B  N  C  N
P  R  N  N  Y  O  U  S  S  S  Q  I  O
N  O  I  S  N  E  C  S  A  K  V  L  H
T  E  N  E  R  I  F  E  N  N  O  L  O
T  D  R  F  D  O  A  A  D  E  T  Y  T
A  H  A  R  R  A  Z  G  W  L  K  O  O
Y  O  A  R  A  O  M  O  I  I  X  I  K
F  C  E  S  R  V  R  M  C  O  Y  Q  O
O  F  L  E  U  B  A  E  H  V  B  R  I
G  O  S  Y  B  D  O  R  K  N  E  Y  B
O  T  A  M  G  E  K  A  B  N  D  Y  L
```

◊ ASCENSION

◊ AZORES

◊ BIOKO

◊ BOA VISTA

◊ BRAVA

◊ CORVO

◊ DISKO

◊ FERRO

◊ FOGO

◊ GOMERA

◊ MADEIRA

◊ MAIO

◊ ORKNEY

◊ PICO

◊ PORTO SANTO

◊ SCILLY

◊ SOUTH SANDWICH

◊ TENERIFE

Military Aircraft

```
O D R H K Q L T S Y E K T
T O L L V C E C X P H O I
A O D N O N N N C U T Q O
B K E O O I A R R H L D J
X V A R O C O R F U A R Z
O B D R L V I A K N E E K
F W P U T C K E R T T J D
A F V N A U A O S E S N O
V K H N T P T A H R M E R
M J E S A S C O G O T X M
T V H D D N I S T N O I I
F N E K A R D N I D R V N
T C A L T N A I L A V M A
T E N R O H N U G A I E F
C V A M P I R E S E P O A
```

◊ DRAKEN   ◊ LANCASTER   ◊ TORNADO

◊ DRONE   ◊ MIRAGE   ◊ VALIANT

◊ FOXBAT   ◊ NIMROD   ◊ VAMPIRE

◊ HORNET   ◊ PHANTOM   ◊ VIXEN

◊ HUNTER   ◊ STEALTH   ◊ VOODOO

◊ HURRICANE   ◊ STUKA   ◊ VULCAN

```
E  L  G  N  U  J  S  G  E  O  R  G  E
V  D  I  X  W  A  N  S  F  L  N  N  N
L  I  R  E  T  F  T  Z  T  E  D  E  O
A  I  N  I  A  I  R  D  N  H  V  E  T
L  D  S  E  O  R  G  N  O  E  U  R  Y
Y  G  C  L  O  C  K  E  R  H  H  G  J
Y  N  Y  X  Q  G  C  G  R  M  S  M  V
L  E  R  S  D  T  R  T  M  L  B  M  Z
R  V  V  P  W  E  N  I  L  A  I  M  Y
U  E  I  V  W  O  C  C  R  E  N  L  B
C  R  D  U  S  H  R  R  J  E  Y  L  Y
T  L  P  F  A  A  I  D  O  M  R  N  N
Q  A  S  E  W  E  F  G  H  S  A  A  E
H  N  L  P  W  B  H  I  N  R  M  N  X
A  D  V  E  N  T  U  R  E  M  S  A  X
```

◊ ADVENTURE

◊ CLOCK

◊ CURLY

◊ GEORGE

◊ GREEN

◊ J M BARRIE

◊ JOHN

◊ JUNGLE

◊ MARY

◊ MICHAEL

◊ MR SMEE

◊ NANA

◊ NEVER GREW UP

◊ NEVERLAND

◊ NIBS

◊ SWORD

◊ TIGER LILY

◊ WENDY

Weeding

```
H S D E E O L Y F A I L D
C I L L L N K V J M L I B
T L N S I T I Y C N C A T
E A P I E O S R N G F T N
V X B M N R F I E O G E D
T O O U U A A E H M Y S R
J S I D T L C T U T I R O
S E D H E T B L Z Q H O B
G M E B J E E H O N N H P
D N A D E E W R E V L I S
O R N L N N Z D C N E K C
C L L E R R O S N U B R T
K N O T W E E D D I P I O
V G T O N E K C A R B P T
X B R N K F Q D I U J G D
```

◊ BINDWEED   ◊ DOCK   ◊ OXALIS

◊ BRACKEN   ◊ FAT HEN   ◊ SILVERWEED

◊ BRYONY   ◊ HENBIT   ◊ SORREL

◊ BUTTERCUP   ◊ HORSETAIL   ◊ TARES

◊ CINQUEFOIL   ◊ KNOTWEED   ◊ THISTLE

◊ CLOVER   ◊ MOSS   ◊ VETCH

Ski Resorts

```
A Y P R T U I L E I I J S
R T R I I G R L Y V E T F
I D L T O I O O K L S F A
N V D T S J T S A G I E O
S R Q C E A L C A O T S A
A T H S R E O D B U R S O
L G B D P R N E P Q O D T
L G A L T U R T E P T E I
J I A I W G T L A D M I V
E N N L U Z L S S A A A L
L A I R T M A L P Y R N D
L J G H A A L G E S V X N
E L Z U O O N I N L I J A
C N G R E B H C R I K C R
H E G D I R N E K C E R B
```

◊ ALTA ◊ CORTINA ◊ KIRCHBERG

◊ ARINSAL ◊ ELLMAU ◊ LECH

◊ ASPEN ◊ GALTUR ◊ OBERGURGL

◊ BOHINJ ◊ GOSAU ◊ ORTISEI

◊ BRAND ◊ IGLS ◊ SOLL

◊ BRECKEN-RIDGE ◊ ISCHGL ◊ VARS

Breeds of Cattle

```
F E H N D S I R E L S Y K
S L H I K U O A A F S C R
N H U C G M R N F E I H G
S N E R E H K H J A W I N
B A S T J O L T A C S L I
E G A L L O W A Y M N L U
L D T E L A M B N V W I L
G Y E E C O N L P D O N A
I R W X K L P D D Y R G T
A R Q L T U P D D Q B H V
N E W P W E R X E E N A I
B K H A R E R G W R O M A
L S I M M E N T A L V Z N
U K T G O D W S R N E T Q
E D E C Z R R Y J T D R Y
```

◊ ANKOLE

◊ BELGIAN
  BLUE

◊ BROWN
  SWISS

◊ CHILLINGHAM

◊ DEVON

◊ DEXTER

◊ DURHAM

◊ GALLOWAY

◊ HERENS

◊ HIGHLAND

◊ KERRY

◊ KURGAN

◊ LATVIAN

◊ LUING

◊ RED POLL

◊ SHETLAND

◊ SIMMENTAL

◊ WHITE

Very Mysterious

```
A I J E V S Y O N B L O S
L N Z S L D W S L R V I U
I L X C I T P Y R C I I O
R A E L C N U D A V N P I
E U V E X S I B A E A C T
G S W R T M A S X R I D I
N U E L I A Y P T T K T T
A N I L C V L S A E I V P
R U R O E I E M T S R K E
T N D I C G G V H E L E R
S V L A G I E A I M R L R
C E B S N Z D N D T Y Y U
D L R E E Y N I D R R T S
E N E P R L F D E Z R U H
C C I T S Y M A N I O K F
```

◊ CRYPTIC

◊ DARK

◊ ENIGMATIC

◊ FURTIVE

◊ HIDDEN

◊ INEXPLICABLE

◊ LEGEND

◊ MYSTERY

◊ MYSTIC

◊ MYTH

◊ SHADY

◊ SINISTER

◊ STRANGE

◊ SURREP-
TITIOUS

◊ UNCLEAR

◊ UNUSUAL

◊ VEILED

◊ WEIRD

All Points

```
M L N D X H D M F M A Q E
X D Y A X E E E I X T Z C
P L P R S A E F A G C H Q
I D V S Q N J M I N A F Z
X E E N O I T I S N A R T
L F L A C O F E G R K N A
H A Y M D H O E L E B G G
Q G N I K A E R B P L T N
D P I R E L H D S O M E I
T M T H E L J S A D E A H
T S W E X X D S A D O T S
B R L L T C N N L L P U I
D O E P R N K E S O F T N
W E A K A Y T S T G E A A
A S W O Y F K I D L T S V
```

◊ BREAKING   ◊ FLASH   ◊ NEEDLE

◊ CHANGE   ◊ FOCAL   ◊ SAMPLE

◊ DEAD   ◊ GOLD   ◊ TRANSITION

◊ DEW   ◊ HIGH   ◊ VANISHING

◊ EXTRA   ◊ KNIFE   ◊ WEAK

◊ FESSE   ◊ LOW   ◊ YIELD

Global Warming

```
T  L  N  B  P  D  X  C  A  A  R  R  D
H  R  A  S  N  I  L  N  L  E  E  U  J
E  L  E  A  O  O  L  C  B  N  T  E  V
R  I  C  E  U  C  O  L  E  O  A  D  S
M  O  O  D  S  O  R  E  D  Z  W  E  A
A  A  S  S  L  I  O  Z  O  O  A  T  R
L  N  G  I  O  F  C  O  A  L  M  N  C
I  B  N  M  O  X  I  B  E  O  Y  B  T
N  G  R  R  E  L  Z  V  S  S  I  V  I
E  W  E  T  W  T  E  P  A  O  A  S  C
R  S  S  E  I  L  H  K  M  X  I  B  U
T  P  L  N  R  E  T  A  N  E  P  D  Z
I  L  N  K  R  H  S  I  N  E  C  K  S
A  X  I  E  P  S  O  U  L  E  C  I  U
V  S  E  W  U  Z  I  I  D  N  O  Y  N
```

◊ ALBEDO

◊ ARCTIC

◊ ATMOSPHERE

◊ BIOMASS

◊ CLOUDS

◊ COAL

◊ COOLING

◊ FOREST

◊ IPCC

◊ METHANE

◊ OCEAN

◊ OIL WELL

◊ OZONE

◊ SEA LEVEL

◊ SUN

◊ THERMAL
  INERTIA

◊ TREES

◊ WATER

Baseball Terms

```
R S D D J B B E D V M X I
L P N U R E M O H I C N B
K L A W Y Q U U I A N A A
C A G A T B T S T I S H C
E T Z H L H T C N E B U I
O E R E Q R H G S M R P C
M O V H I E N Z L V E T H
W W O K R Q R T E O I K V
C U E S D E D B L E V L I
H I T S H W A A F U L E D
N R B C M L T T X G V S H
R S T A L G N T S R T D Z
S I N G L E U E E E Y P N
P N M S S K I R A L U O F
T T R X O B Y L P A O Y T
```

◊ BALK   ◊ FOUL   ◊ PLATE

◊ BASES   ◊ GLOVE   ◊ SINGLE

◊ BATTER   ◊ HITS   ◊ STEAL

◊ CATCHER   ◊ HOME RUN   ◊ STRIKE

◊ CURVE BALL   ◊ INNING   ◊ THROW

◊ DOUBLE   ◊ PITCHER   ◊ WALK

```
X D Z E G A G G U L H L N
R R O T A R E P O R U O T
B I K I N I C H G X S R A
G G R A Q K R O P E A E X
M M N W D L F K A V N T I
A L H I E Q V X E C V E E
P K G A T O N L T T H D E
S B D J Y U A R X R Y I R
V O I A I G O X D O T U F
I M G A E P J N Z P V G Y
E E Z N S E T S I R U O T
W P T S V Z U B C I C U U
S I A E B E A C H A V O D
R P O S T C A R D T H P O
N B A S I V L J G Z B Y D
```

◊ AIRPORT

◊ BEACH

◊ BIKINI

◊ COACH

◊ DUTY-FREE

◊ GUIDE

◊ LUGGAGE

◊ MAPS

◊ OUTING

◊ PASSPORT

◊ POSTCARD

◊ TAXI

◊ TOUR OPERATOR

◊ TOURIST

◊ TRAVEL AGENT

◊ VIEWS

◊ VISA

◊ VOYAGE

Cats in the Wild

```
C P P C P K O D K O D S W
H T A C S A L L A P Q S C
E O C N N A M Q L F C Y O
E D D S T R O P R I E T U
T H H R A H C W A L O E G
A I K U A S E B A S Y N A
H R G G I P L R A S C N R
I A Z E O R O T V Y Y A X
J Z J I R Y T E H L C U T
S R T A C N E D L O G A A
A N J U N G L E C A T D T
P O D D F U S H X R P L N
V U O I V N P Y T L N A O
L G M A R G A Y A Y O K E
O I L A R I I L A V R E S
```

◊ BAY CAT ◊ KODKOD ◊ PALLAS CAT

◊ CHEETAH ◊ LEOPARD ◊ PAMPAS CAT

◊ COUGAR ◊ LION ◊ PANTHER

◊ GOLDEN CAT ◊ LYNX ◊ PUMA

◊ JAGUAR ◊ MARGAY ◊ SERVAL

◊ JUNGLE CAT ◊ OCELOT ◊ TIGER

```
P A C C S R P Q Z R W N R
N W U T I R E P O O C A L
I N K Q A H A U U O N M O
J L B X I R T U A A A O P
I N I C N T N O M B R H T
N S N O O I N K G R E A I
O Y P E V U O A P L A T M
D R N E L O R E K S L L A
O N R M B A O I D O O E C
B S R M M G C I E U O G B
L E N O E F K N F R R B J
H A N S N R W U W L T Z Q
Q D I H E E E E E M A V E
P H L R R O L V S E Q M G
M S B D A H L A F A A Q A
```

◊ ARIAL

◊ ARNO PRO

◊ BAUER

◊ BELL GOTHIC

◊ BODONI

◊ BOOK
  ANTIQUA

◊ BOOKMAN

◊ COOPER

◊ COURIER

◊ FLAMA

◊ GARAMOND

◊ NUEVA

◊ OPTIMA

◊ PRAXIS

◊ ROCKWELL

◊ SEGOE

◊ TAHOMA

◊ UNIVERS

Opera Composers

```
Y K S N I V A R T S W E U
V J X W L W G P J R O X A
K F I F X E I L L A V A C
C R Y X S O V I R M T I O
U D I O G M Y A R E M E L
L R E I T N E P R A H C L
G L I N K A G T R U U E A
R E B U A D A O A R T G V
O K T I D A S G G N R O A
V A W B A A L D L I A L C
T U S A M U O O E L H T N
P Q R R S L E W G R E B O
R E E B R E Y E M Z N K E
T T O E R R Y K I D Z T L
K P D R S X F B R J E S U
```

◊ ADAMS

◊ AUBER

◊ BARBER

◊ BERG

◊ BIZET

◊ CAVALLI

◊ CHARPEN-
TIER

◊ CIMAROSA

◊ GLINKA

◊ GLUCK

◊ HENZE

◊ LEON-
CAVALLO

◊ MEYERBEER

◊ RAMEAU

◊ RAVEL

◊ SMETANA

◊ STRAVINSKY

◊ WEIR

Silent "H"

```
K G E I D U A T L N L R T
E U F X N R U L G I A H E
S L U O H G E T I H W Y Z
D S T O M A C H O Z O M A
L P O S T H U M O U S E F
D Z P L I H T S O T R M G
D R I K S H T C T S S A H
S E A M O I W H S O A P A
D H I T S O S O V H C N N
K U A A K O W O Y G C Q L
F A K R A W H L H H H D V
S B B W H E E L O R A V S
T T J I T Q L R S A R A H
I E L C A R K A R I I I A
J E I I O S X Y N W N M C
```

◊ AFGHAN

◊ ANCHOR

◊ CIRRHOSIS

◊ EXHAUST

◊ GHOST

◊ GHOULS

◊ KHAKI

◊ POST-
HUMOUS

◊ RHYME

◊ SACCHARIN

◊ SARAH

◊ SCHOOL

◊ STOMACH

◊ WHEEL

◊ WHELK

◊ WHILE

◊ WHISTLE

◊ WHITE

Talk

```
W E I V R E T N I N D G E
Y N E I Y A S J A E H N G
Z E V O I L S R C G I K O
K T V O W P R L E A N L R
R A V T E A A Q L V I A A
P C V A T I J P J E N T T
V I K E M S X L N O T O E
R F E X I E U E K S E L C
L I F V T U U L A L R V Z
A T H R A N L Y R I R B D
A N H E K K A X S T O P E
E O A T R L D R O T G M F
E P A T O A S X F K A W T
A O E U M D L E L T T A T
A D D R E S S D T A E F U
```

◊ ADDRESS

◊ CONVERSE

◊ DECLAIM

◊ EXPLAIN

◊ HERALD

◊ INTERRO-
  GATE

◊ INTERVIEW

◊ JAW

◊ NARRATE

◊ ORATE

◊ PONTIFICATE

◊ RANT

◊ SAY ALOUD

◊ SPEAK

◊ TALK

◊ TATTLE

◊ TELL

◊ UTTER

Rhyming Words

```
O U T S S O E V T E P E E
G A F I U B W I X R O D A
O J F T S C S I O D N D O
L I B R S E O M L Y K O J
H O T E R F O P O I D A J
U E O R D X A B S O W L S
K I T H R A S T O U S I U
C B H T O R E V A N C L K
A E E A N O R T R O U O X
R E Y T S L B K S Z D P H
T R D R C A I O K D I J M
K F A K N D N N T C E R C
C B Y F S E L O N M L B U
A T F I J I D I T X E C S
B P T I E O C R O P R O T
```

◊ BACKTRACK ◊ HI-FI ◊ SOLO

◊ BEDSTEAD ◊ HOCUS-POCUS ◊ TEPEE

◊ BOOHOO ◊ TO-DO

◊ KIWI

◊ FIJI ◊ TORPOR

◊ LOGO

◊ FREEBIE ◊ VOODOO

◊ OBOE

◊ HEYDAY ◊ ZULU

◊ PICNIC

Books

```
E E K U U R W E R A A B X
M L L P A L M C E J I B K
L H B O R I A N N O E P Z
M L N I R I O E G L N L D
J D J C B V M R W Z C B Y
S E I R E S A E I D Y J D
K Y N L E P N F R D C W S
L S S M H E I E P P L S E
A C T Y D C O R P C O N D
U Z A O S P L O T A P A I
N L L N R A S E T T E N T
N Y M M I Y X L X E D N I
A S E K L T A E L T I T O
N V N A T S N H Y S A P N
S B T S X U T J D E E C M
```

◊ ANNUAL

◊ ATLAS

◊ BIBLE

◊ BIOGRAPHY

◊ CRIME

◊ EDITION

◊ ENCYCLO-
PEDIA

◊ INDEX

◊ INSTALMENT

◊ NOVEL

◊ PLOT

◊ PRIMER

◊ REFERENCE

◊ SCI-FI

◊ SERIES

◊ STORY

◊ TEXT

◊ TITLE

Cake Baking

```
D K T S N G G P V A E S P
F R X E G I P A T C A M Y
N C E S M G T I E N Q I K
Z C T T X P E F A N S X U
O U I U A I E T A R M E R
H P U B O W L R A O T R I
O C R A X U C A A A L X O
G A F B S D R Y L T V U E
A K E D I U E O G O U P M
B E Q R O O C C O N I R E
S S O L Z O P R O C I A E
P O F W H Y L P E R M C T
O U V C W F O R G A A U I
O N T E U C N I J M M T Y
N N D R N C Y J J Y L R E
```

◊ BOWL   ◊ FLOUR   ◊ RECIPE

◊ CHOCOLATE   ◊ FRUIT   ◊ SPOON

◊ CREAM   ◊ ICING   ◊ SULTANAS

◊ CUPCAKES   ◊ LOAF TIN   ◊ TEMPERA-
                                       TURE

◊ DECORATE   ◊ MIXER
                                     ◊ TRAY
◊ EGGS   ◊ OVEN
                                     ◊ WATER

Vitamins and Minerals

```
L  I  N  O  L  E  I  C  A  C  I  D  D
D  N  X  I  B  X  S  L  H  E  L  T  I
Z  I  I  I  A  M  E  G  U  O  W  O  C
Y  A  C  M  R  C  U  K  V  L  W  D  A
N  M  B  A  R  E  I  I  D  E  D  R  C
O  E  O  I  C  E  T  N  M  I  G  M  I
F  E  L  L  T  I  D  I  C  O  U  C  B
H  N  T  F  Y  T  O  A  N  I  R  M  R
N  I  T  O  I  B  C  R  S  O  U  H  O
F  L  U  O  R  I  D  E  E  I  L  I  C
Z  O  H  T  L  N  N  E  N  T  O  Z  S
W  H  I  O  L  G  O  E  N  D  P  I  A
V  C  F  M  A  S  L  R  I  U  M  N  N
E  E  N  M  T  E  E  N  I  A  M  C  G
O  F  O  L  S  R  E  P  P  O  C  M  U
```

◊ ADERMIN

◊ ASCORBIC
  ACID

◊ BIOTIN

◊ CHOLINE

◊ CHROMIUM

◊ COPPER

◊ FLUORIDE

◊ FOLIC ACID

◊ IODINE

◊ IRON

◊ LINOLEIC
  ACID

◊ MAGNESIUM

◊ MOLYBDENUM

◊ NIACIN

◊ PTEROIC ACID

◊ RETINOL

◊ SELENIUM

◊ ZINC

Trees and Shrubs

```
P N G T L S Y L R O J W V
Y E R E U N M H L M F Z T
E A L M O N D R U O E A N
W E A I U N H L Y S X A E
H C F L G N G R R U I B V
C H N A W O R L S O M L S
E S R O G E N U U O A A Q
E J R T B Z K Q B S E Q H
B D T L S S E B V I R X D
G O U S Y S E O L I V E M
Z M E G S C A A R M W B E
C I C O U S R J H O L L Y
A R U R O C R G U O M T S
L R P L H H A W T H O R N
H S G I I A B E L E T N H
```

◊ ABELE   ◊ LARCH   ◊ SPRUCE

◊ ALMOND   ◊ LIME   ◊ SUMAC

◊ BEECH   ◊ MULBERRY   ◊ TAXUS

◊ GORSE   ◊ OLIVE   ◊ THUJA

◊ HAWTHORN   ◊ ROWAN   ◊ VIBURNUM

◊ HOLLY   ◊ SEQUOIA   ◊ YEW

Washing a Car

```
R P U Y X D N D A K R L V
L E E E G E E U Q S C V M
S W T B M S T M P S A I S
Y B E A L T X O O H R R V
A R Q F W H N J E R O O E
W S D S G G S B O O H S H
E H S P E I M R D L L C I
V K N A E L S U G E H M C
I A G C L A S S E A L S L
R D R B D G G H R A Q L E
D A I U K N W D T Z E A T
Q H M H I P W E O N A G P
N A E X I O R D I D O A I
C O A O R E N H A C O L B
R W R K F I S A L S E T T
```

◊ BRUSH   ◊ HARD WORK   ◊ SPONGE

◊ CHROME   ◊ HUBCAPS   ◊ SQUEEGEE

◊ DOORS   ◊ LIGHTS   ◊ VEHICLE

◊ DRIVEWAY   ◊ MIRRORS   ◊ WATER

◊ GLASS   ◊ SHINE   ◊ WAXING

◊ GRIME   ◊ SOAP   ◊ WHEELS

```
D Y S L I A S Z T U S U D
D D R A L E Q L S I Z E E
S J K R S X S X E V W T Z
E O T N E O H O H O Y S X
W F U V T M T Y C O T W N
D Z O B F R E N O O H C S
N C A B Z S S G C A J P Y
N E M A E S O K R W Q I N
N D W V Z A A A E O B H V
F L I N T D C A W B E S M
B L I M E S V H W N N G U
N O S N E V E T S K G R S
Z U Z F N E W N R O U E K
P I S T O L M R D A N C E
B E I I K P A H V J N W T
```

◊ BEACH

◊ BEN GUNN

◊ CHEST

◊ COVE

◊ CREW

◊ FLINT

◊ GEORGE MERRY

◊ LIVESEY

◊ MR DANCE

◊ MUSKET

◊ PISTOL

◊ SAILS

◊ SCHOONER

◊ SEAMEN

◊ SHIP

◊ STEVENSON

◊ STOCKADE

◊ YO HO HO

Ancient Peoples

```
E O D Q I E A N F E A D N
V T D J I R O F T Z V L A
G S U F Y T A J U I N C C
V Z D J E I D L O D N A F
I N E H Q N K Y H I R L Q
K A N T P A N D Z T G N P
I E A O L A M I H T F I U
N A M D R O R A K S C A U
G T O D C M G N T T M Z L
Z A R H N I A O S E C T G
A B E T N G A N D I N E M
I A D I I A A E K N J C D
G N A I M A T O P O S E M
T N L D X R K K G S X I A
G H I G N I L I C R U T G
```

◊ AZTEC

◊ CARTHA-
GINIAN

◊ FENNI

◊ INCA

◊ JIROFT

◊ JUTE

◊ LYDIAN

◊ MEDE

◊ MESOPOTA-
MIAN

◊ MOCHE

◊ NABATAEAN

◊ NORMAN

◊ PICTS

◊ ROMAN

◊ TURCILINGI

◊ VIKING

◊ XIA

◊ ZHOU

In Our Dreams

```
S K Q A N K M D F S F E S
C S T A R D O M U O V H T
S Y C O E I L C B A O A E
M E W R P R C L L M L D R
O N R O O E U H E I D O U
T A D C S W G L E G U I T
H M H S R N D N I S N J U
E P T N I L S S Z A H C F
R F L T A T Y C K O F Q E
N N A S S N S E R X E L H
A E E L G V D A O P M S T
L M W A L N D G P O L E O
D O J U E I R Q N E F S N
L E V S Z D N E J P H G N
T E S E K S Y G K H M T V
```

◊ ALIENS   ◊ HOME   ◊ STARDOM

◊ CROWDS   ◊ LOVE   ◊ SUCCESS

◊ EATING   ◊ MONEY   ◊ THE FUTURE

◊ FAILURE   ◊ MOTHER   ◊ THE PAST

◊ FALLING   ◊ NAKEDNESS   ◊ WEALTH

◊ FOOD   ◊ RICHES   ◊ WORK

Fishing

```
N H Y N K I G D O N N Z N
T I U J Z E I R B T I E L
M A H A H T Y T O R H K U
W A H C X E T B O P C U S
T B P L R X R A V B N G T
G I A A G U C M L H E X U
O A A K T H O L I U T J N
L L I B A E A E A T I Y O
R E I P A T R G P D H R V
C T R T E N G N I D N A L
T N C O D S Q A O D A U E
N L O O H C S O U S E T K
G S P V K S L Q T N T S I
U U O E L K N I W I R E P
W H E L K E A I Q O B R R
```

◊ ANGEL

◊ BAIT

◊ ESTUARY

◊ HERMIT

◊ INSHORE

◊ LANDING NET

◊ PATER-
 NOSTER

◊ PERIWINKLE

◊ PIER

◊ PIKE

◊ ROACH

◊ SCHOOL

◊ SEPIA

◊ SKIN

◊ TENCH

◊ TURBOT

◊ URCHIN

◊ WHELK

Double "F"

```
D X A F F O P S X F F W T
E D U N I F F I T F I A S
L E X L Y Z F V R K F I O
M T N O F F I H C F F F Y
E C G D A F K E A F I F R
E E F U G Z E I A F L A T
X F A F F S R F E R F R F
S F F U I F D T F B R F S
R A F A D H A V T O U T K
Q E B M C I W W N D R O F
F F C A L E S A N F L T F
F A Y I F O V N F S O F F
L R F D F F L I J F L T I
F F O C S F L S E F L D V
A J F A H C O E T F S E G
```

◊ AFFAIR   ◊ CLIFF   ◊ OFFICER

◊ AFFECTED   ◊ DUFF   ◊ RAFFIA

◊ AFFILIATE   ◊ EFFACE   ◊ SCOFF

◊ AFFIX   ◊ EFFLUX   ◊ TIFFIN

◊ BAFFLE   ◊ EFFORT   ◊ WAFFLE

◊ CHIFFON   ◊ GUFFAW   ◊ WHIFF

"T" Words

```
T E T S T P P F V Y E E T
R T R A C E V O A N W N T
K A A S T T X D I O L O N
Y R D W A T O T R T U I T
D T I D O T I R U R Z T I
L F T X R H O Y N R A A C
T I I Z A M A I D A E D K
D C O T O S Q N A L B I L
E T N T T U P G T R O P E
D S E A E R E D T T X E D
C T T T T O L R L T X R S
J T O E F T T I I P E T T
Y T R A S H Y H T A C K Y
D I P E T T L T A H T K A
H O U T T R I C K L E P T
```

◊ TACKY
◊ THIRD
◊ TRADITION

◊ TAHITI
◊ TICKLED
◊ TRASHY

◊ TATTY
◊ TODAY
◊ TREPIDATION

◊ TAWDRY
◊ TOMORROW
◊ TRICKLE

◊ TEPID
◊ TOURNIQUET
◊ TRYING

◊ TEXTURE
◊ TOXIC
◊ TSETSE

Troubles

```
E H P O R T S A T A C W O
N R L P W C C K E E X O T
L E E O S K Z B H B T E E
I A L N H C T I H L A S C
I B W V R R S H F R A N T
N I Z M T O A E N D S D E
S S E M B S C A D R W S N
D I R E S T R A I T S G S
T Q A L Z T V L E K L S I
W T E R P I A L A O D Q O
A H L R V E K E O I S R N
Y O E A D C L M Q R L K R
R L Z W I B L I G H T B R
S E A P L R N O W A U L H
L R E T A W T O H W E L B
```

◊ BANE

◊ BLEAK

◊ BLIGHT

◊ BLOW

◊ CATA-
STROPHE

◊ CORNER

◊ DIRE STRAITS

◊ GLOOM

◊ HASSLE

◊ HITCH

◊ HOLE

◊ HOT WATER

◊ MESS

◊ PICKLE

◊ RAW DEAL

◊ TENSION

◊ TRIAL

◊ WOES

In the Post

```
E E V D P O L F E X A O K
O C J E T T E L F A E L O
E I B U L L E T I N W G O
C O J R N O M Q A N B R B
I V M R F K L Z O E R E E
T N T F M L M P G H E D Q
O I E S I I U A T X P N L
N R P B Q O S N I D A I Y
L E O X C S E S R L P M A
A T S G E M A A I A S E E
N T T M E H T Y E V W R A
I E C T Z H J E Y P E C V
F L A T P I R C S U N A M
R T R R J T N E S E R P D
S R D F R D C A C Q O S N
```

◊ BILL

◊ BOOK

◊ BULLETIN

◊ COUPON

◊ FINAL NOTICE

◊ INVOICE

◊ JUNK MAIL

◊ LEAFLET

◊ LETTER

◊ MANUSCRIPT

◊ MESSAGE

◊ MISSIVE

◊ NEWSPAPER

◊ OFFER

◊ POSTCARD

◊ PRESENT

◊ REMINDER

◊ STATEMENT

London Calling

```
P N B E C V F L S C F S D
S W A R D O C K L A N D S
E O Z C O V A S L W J U H
M T M E I E S G E N A A S
B A F O S B R B B F L S A
F N R L N E R E W C V S H
L I E B R U S A O I A U H
V H R O L K M R B A U T A
C C S I T E N E W M E E R
O H O S A H A N N B W M R
S L R I I F E R M T K A O
B P U L A D Y A C E H D D
A L L A M L L A P H I A S
C L I A R A W T M O T M I
A E C N L O N D O N E Y E
```

◊ BARBICAN

◊ BOW BELLS

◊ CABS

◊ CAMDEN

◊ CHELSEA

◊ CHINATOWN

◊ CORNHILL

◊ DOCKLANDS

◊ EROS

◊ HARRODS

◊ LAMBETH

◊ LONDON EYE

◊ MADAME TUSSAUD'S

◊ MARBLE ARCH

◊ MAYFAIR

◊ MONUMENT

◊ PALL MALL

◊ SOHO

"SILVER ..."

```
A N C I O A S H H A E N K
I E M J P A S T A R S D M
L E W E D I R O L H C R X
L R R H L N O D B E E A O
A C B O T D S L I L J D F
H S P L E R E L R A Z N G
R L I L D I N J B D M A L
E T A C I F I T R E C T I
T V E D D I M G R M E S Q
A O S M O F B T Q Q R C C
T A N N I V E R S A R Y H
W D N G Z E R D P W R R D
M C L M U L P V O G O D I
A S O L D E R E O M E R S
V T I U O T S D N L S E D
```

◊ ANNIVER-
   SARY

◊ BEECH

◊ CERTIFICATE

◊ CHLORIDE

◊ FIR

◊ FOX

◊ IODIDE

◊ MEDAL

◊ MINES

◊ PERCH

◊ POLISH

◊ SCREEN

◊ SOLDER

◊ SPOON

◊ STANDARD

◊ STARS

◊ SWORD

◊ TONGUE

```
Q N T C N F D S J Y S Z D
A L E E Z K W C W I Y D A
U O L D K R Y V E O B G B
T O L I S N W V T I F W Q
T T A C N H E S C W H V T
N G M I P A O Y T E I W W
E N U T O A C V E R L N Y
M I N N D L R L E S I Q E
E G X E E U B T I L S N S
C D H D P A T O E O Q A G
F E X O R B S C E S C M S
O F V R G T E V H K U P W
G U O I A T E L S H A O H
A W U R E D D A L D O R M
B N I F K W W O E Q N E H
```

◊ BAG OF
  CEMENT

◊ BICYCLE

◊ DUTCH HOE

◊ EDGING TOOL

◊ FORK

◊ LADDER

◊ MALLET

◊ MOUSETRAP

◊ OILCAN

◊ RAKE

◊ RODENTICIDE

◊ SACKS

◊ SHOVEL

◊ SIEVE

◊ SPADE

◊ STRING

◊ TWINE

◊ WHEEL-
  BARROW

76   How Miserable!

```
N Y P P A H N U I V N N P
D T D A T O E W L C W Y U
G D E R G Y T Y E Y R D D
I O S S R R A V R R Y E E
C I S N P T L E O F X H F
I N E Y E U O S U I G C T
T T R L D I S M A L T T R
E H T Y E C E L O E B E C
H E S R B O D O L W F R B
T D I A A S M B N R U W L
A U D E D Y A E M S D G A
P M O R Y I O B H P P L C
G P N D T N T E A R F U L
O S V I W O D E W D N M G
X P P S T G G Z E O T T L
```

◊ BLUE

◊ CRUSHED

◊ DESOLATE

◊ DISMAL

◊ DISTRESSED

◊ DREARY

◊ FED UP

◊ GLOOMY

◊ GLUM

◊ IN THE
  DUMPS

◊ PATHETIC

◊ PITIABLE

◊ SAD

◊ SORRY

◊ TEARFUL

◊ UNHAPPY

◊ UPSET

◊ WRETCHED

Ancient Egypt

```
D P S E U T A T S W E Z Q
B L T H S I L L E G E R D
W A O S E S B K Y R N L S
I E R G I O E P A T I D H
D L D A T R T N T E L I A
S D T D C O I B S A E S D
E K P Y L S P S T R C D O
S T R O Z N N R O R A Y O
E U G V Q X N G I S B N F
M Y Q N Z Z L B H E L A E
A S O L F Y E U Z A S S G
R A I I P R R X E P Z T I
O B S H R L R D S P N I Z
X I S X B A F L P P J E A
S W X S I U I S A J D S Q
```

◊ ASYUT   ◊ GIZA   ◊ PRIEST

◊ DASHUR   ◊ GOLD   ◊ RAMESES

◊ DYNASTIES   ◊ HIEROGLYPHS   ◊ SCARAB

◊ EDFU   ◊ ISIS   ◊ SCRIBE

◊ EGYPTOLOGY   ◊ NILE   ◊ SHADOOF

◊ EL-LISHT   ◊ OSIRIS   ◊ STATUES

Tribes

```
H A A Y I S Q I H A Y I L
E H C L E U P A A S P U Y
I A H H A T E L G U R W Y
I C S A I T S U T U W Q F
B N P U L B A I L Y S N M
F I P J M R C H U R O N W
E E L I A L R H X N Q E O
T Z E N Y Y O O A O A E Z
D N I R A H W S F N A E T
Y A N A C S A B A H T A X
N E Z K K S H D W E R H L
E G N T I M O H I C A N Z
H X X O X A Z R T A P L K
D J U O N E E Q X Z H L Z
R X X N F L H A Z T E C M
```

◊ ATHABASCAN   ◊ FOX   ◊ MOHICAN

◊ AZTEC   ◊ GUARANIAN   ◊ NOOTKA

◊ CHIBCHAN   ◊ HAIDA   ◊ PUELCHE

◊ CREE   ◊ HURON   ◊ SIOUX

◊ CROW   ◊ INCA   ◊ TUPI

◊ ERIE   ◊ MAYA   ◊ WEA

"HIGH" and "LOW"

```
E W L O W N E C K E D T L
F H I G O N X H I N N O O
I R A C R X I J A Y W L W
L H A R B G H L H A O O L
H I N E H I H W I D L L A
G G L N G G D L G E B O R
I H O H I W O O H H H W I
H O W H H W O H F C G L M
N A O L W K I L A T I I D
Y S S A M W O L L I H F A
P S T H I G H Q U P L E H
H E L H I E D I T W O L G
R L O W B O R N I O W T I
H I G H B A L L N L E U H
D I A P W O L T G H G I H
```

◊ HIGH ADMIRAL

◊ HIGH LIFE

◊ HIGH NOON

◊ HIGHBALL

◊ HIGH-BLOWN

◊ HIGHBROW

◊ HIGH-FALUTING

◊ HIGHLAND

◊ HIGHWAY

◊ LOW GEAR

◊ LOW LIFE

◊ LOW MASS

◊ LOW TIDE

◊ LOW WATER

◊ LOW-BORN

◊ LOW-NECKED

◊ LOW-PAID

◊ LOW-PITCHED

"AL" at the End

```
L A G T D L A F M E A L S
E L F O L L P O S T A L E
P A L A A A S I S Y A A O
R H B N U S G E O U D U O
O T E A O N D L T L I T L
V R L R A R A C A A G A R
I E A L R C E C E L I N L
N D D M I L I D A T T L A
C N D H L R L V N L A W T
I A T E Y N A A G L L R E
A E T L L N T R I V I A L
L N G A A S E A L B G K E
I G T R B E R G A A L A K
E A G U A Z A L S A A J S
L M S R C Z L A O T L A L
```

◊ CABAL

◊ DIGITAL

◊ ETHICAL

◊ INTELLEC-
　TUAL

◊ LATERAL

◊ LOYAL

◊ LYRICAL

◊ NAVAL

◊ NEANDER-
　THAL

◊ POSTAL

◊ PROVINCIAL

◊ RENAL

◊ RURAL

◊ SIGNAL

◊ SKELETAL

◊ SUBSTANTIAL

◊ TRIBAL

◊ TRIVIAL

```
E  M  L  R  M  M  A  Z  A  K  A  Z  D
A  M  A  R  Y  L  L  I  S  F  E  R  A
O  V  E  R  O  N  I  C  A  E  E  H  T
V  R  W  I  G  V  I  O  L  E  T  R  R
F  I  V  A  S  U  E  E  U  B  K  J  N
K  V  V  I  F  A  E  B  Y  T  D  M  L
Y  A  C  N  Y  D  G  R  D  L  Y  U  G
X  V  P  U  K  A  E  E  I  R  L  O  W
U  E  I  T  S  Z  M  L  T  T  M  O  S
D  S  P  E  O  Y  W  L  I  X  E  Y  H
A  A  A  P  P  X  E  Y  I  L  I  S  E
G  R  H  P  X  X  S  Y  L  E  Y  S  F
A  F  O  I  W  N  D  Q  K  Y  O  T  D
N  P  S  L  A  F  M  T  E  R  X  C  K
D  Y  F  P  F  L  D  A  I  S  Y  E  W
```

◊ AMARYLLIS   ◊ LILY   ◊ POPPY

◊ DAISY   ◊ MARGUERITE   ◊ ROSE

◊ FERN   ◊ MAY   ◊ SAGE

◊ FLORA   ◊ MYRTLE   ◊ VERONICA

◊ HOLLY   ◊ PANSY   ◊ VIOLA

◊ IVY   ◊ PETUNIA   ◊ VIOLET

Significant

```
G Y C L E L A C I T I R C
G N T M A S U O N I M O H
C T I F Z T L E G H U E A
K R R H O T I E G R A L N
P E T R C L E V G V O O L
L E I N A A L P Y R T V R
R A M S E F E L S E E L E
C E I K V T M R W M S A X
C N L R P D O O R E N L T
H L S E E C R P Q A I D E
I J T T V T N R K E F V R
E O D Y H A A S I Y A R Q
F Q R Y A J N M S R Q G Q
Y T H G I M L T G L D V L
T C I N D I C A T I V E Q
```

◊ CHIEF

◊ CRITICAL

◊ FAR-
REACHING

◊ GRAVE

◊ GREAT

◊ HEAVY

◊ INDICATIVE

◊ LARGE

◊ LOFTY

◊ MATERIAL

◊ MIGHTY

◊ NOTEWORTHY

◊ OMINOUS

◊ POTENT

◊ PRIME

◊ RELEVANT

◊ SALIENT

◊ VITAL

Famous Pictures

```
A E A D S U H C C A B D W
D A R E T E R Z P A E T Z
O J O N D O N I T O N D O
U A L O I I L H S S A N N
T M F L A G E E U M L O O
N R B L E R H N D U N M S
G P O R S M F T M O I O Q
P N A Y E L L J W C G H A
E X S A O L E A A A D E U
I G S W A C L R B N T C N
F I E L S D U A P E G C X
A R V I U S H L S L L E H
S D A A D I D A N A E L M
A O E R E X O E G S D G A
A L B L M H O S A L O M E
```

◊ ALONE   ◊ FLORA   ◊ NIGHT WATCH

◊ BACCHUS   ◊ GIN LANE   ◊ RAILWAY

◊ BATHERS   ◊ ICARUS   ◊ SALOME

◊ DANAE   ◊ LA BELLA   ◊ SUNFLOWERS

◊ DONI TONDO   ◊ LEDA   ◊ TOLEDO

◊ ECCE HOMO   ◊ MEDUSA   ◊ UMBRELLAS

Countries of Europe

```
K K A K X B K S D K O G G
A I B R E S B D N P A N S
I S P N P O K D A T Z E D
P S L O S C O T L A N D N
K D V L U A D A O E S E A
E J N Q W N M A P C Z W L
S E L A W O Y N Y R N S R
T T J A L M O L D O V A E
O A U S T R I A A A R Z H
N L E R W R E D E T N R T
I E Z A U S H Z N I I R E
A R Y Q E S P L T A D L N
E C E E R G S A J I I F I
I Z Z N P Q I I I L W R O
A L K W D M Y E A N L S Q
```

◊ AUSTRIA

◊ CROATIA

◊ ESTONIA

◊ GREECE

◊ ITALY

◊ MALTA

◊ MOLDOVA

◊ MONACO

◊ NETHER-
LANDS

◊ NORWAY

◊ POLAND

◊ RUSSIA

◊ SCOTLAND

◊ SERBIA

◊ SPAIN

◊ SWEDEN

◊ SWITZER-
LAND

◊ WALES

```
K Y G N I S S E L B P K D
P A H N P D P M R A I D J
O S R S D I N E I S U D E
E S J M L G A E M F Z X K
N I K D A K N E S O X L U
U I C R V D T I O D R H L
T E C N E D I C N I O C F
R Y E T J K P A X E G G R
O N T H E C A R D S P H E
F I N K C U L T O P U O A
P T R R M L M O D N A R K
N S O S X D N D C H E D Y
C E S U O A O H O L S A A
L D D W F B O I U E D L P
J Y T I L I B A B O R P U
```

◊ BAD LUCK

◊ BLESSING

◊ BOON

◊ BREAK

◊ COINCIDENCE

◊ DESTINY

◊ FLUKE

◊ FORTUNE

◊ FREAK

◊ GODSEND

◊ HUNCH

◊ KARMA

◊ KISMET

◊ ON THE
CARDS

◊ OPENING

◊ POT LUCK

◊ PROBABILITY

◊ RANDOM

Winning

```
O  U  R  E  U  Q  N  O  C  G  A  M  P
V  A  N  Q  U  I  S  H  O  T  A  A  K
M  I  K  S  D  V  E  O  H  T  L  M  Y
C  A  C  T  N  T  Q  T  C  V  I  A  E
L  O  T  T  E  R  Y  H  D  E  L  A  Y
M  H  M  A  O  S  S  A  P  E  I  R  A
A  A  D  E  X  R  L  M  R  A  D  Q  L
T  S  W  H  T  D  I  R  R  Q  K  S  R
T  R  L  A  Y  H  H  O  B  B  M  A  X
A  W  O  A  R  F  R  U  U  E  T  A  H
I  U  F  V  D  D  P  O  R  S  D  I  R
N  R  A  T  U  E  D  P  U  E  D  G  E
F  T  N  A  R  G  M  U  O  G  A  P  H
T  Z  I  D  U  D  K  C  G  P  H  O  B
W  S  S  E  C  C  U  S  F  V  X  T  E
```

◊ ATTAIN

◊ AWARD

◊ COME
  THROUGH

◊ CONQUER

◊ CUP

◊ EDGE

◊ GAME

◊ GRANT

◊ LOTTERY

◊ MATCH

◊ MEDALS

◊ PASS

◊ RELAY

◊ STAR

◊ SUCCESS

◊ TOP

◊ VANQUISH

◊ VICTORIOUS

Explorers

```
K L I Q D T A P E R E R A
E E Q P Q G G I P N N A S
N I J N Y R V I U E P E R
N F D A A T Z K D S T F N
I T O N N A D A J R A O S
C H T H R S T A O Y S I E
O E T R Y S Z C B S M E R
T L O O V O Z H N Q A A R
T U Q T K G G A E V N X O
K C L O T U F D J L P N T
R K I O O E B U E I I D M
E Y T L T D C E D N N D L
R D L S I Q T W I N T O L
R I V A S R G Q A K O O C
W R S G E O U A U F I I N
```

◊ COOK

◊ CORTES

◊ DIAS

◊ FAWCETT

◊ GRANT

◊ JANSZ

◊ KENNICOTT

◊ LEIF THE
   LUCKY

◊ OGDEN

◊ PERERA

◊ PINTO

◊ PIZARRO

◊ STADEN

◊ STEFANSSON

◊ TASMAN

◊ TOKUBEI

◊ TORRES

◊ WILLOUGHBY

88 Peters

```
S N E R H E B A S T L S S
B F A D Q Z N T E G O R F
L F J B R T P E A N D R E
V S S A D A V D I U V S K
E R T O N L L I F O R D S
F E Q U G R E E N E O E N
M L X N Y K F I B I U N A
S L T K M V T G F A L O E
N E E I N S E B Y S K O V
V S V S U Q V S V L N N R
S N C A R N I E A E H A E
E S U A R K I F O N D A M
O H Q R W G T M Y J T S R
D R O F W A L E V T O L K
C A S H I N G N I H S U C
```

◊ ABELARD   ◊ GRAVES   ◊ NOONE

◊ ANDRE   ◊ GREENE   ◊ ROGET

◊ BEHRENS   ◊ KRAUSE   ◊ SELLERS

◊ CUSHING   ◊ LAWFORD   ◊ STUYVESANT

◊ FALK   ◊ MANSFIELD   ◊ TORK

◊ FONDA   ◊ MINUIT   ◊ USTINOV

```
F  W  O  H  S  E  R  O  F  N  R  O  F
O  G  D  T  D  E  T  F  O  R  A  Z  O
R  G  I  G  N  I  D  R  O  F  X  E  R
A  D  B  R  D  S  R  O  F  E  D  T  E
F  N  R  A  E  W  S  R  O  F  U  S  K
S  O  O  L  L  B  K  E  S  O  K  A  I
S  K  F  G  N  I  W  E  R  O  F  T  L
E  O  H  F  O  R  A  B  B  T  O  E  K
L  O  X  T  O  N  Y  S  F  D  R  R  R
K  S  L  Y  E  F  G  G  E  O  T  O  O
R  R  A  F  I  I  O  I  R  R  R  F  F
O  O  M  T  O  V  T  R  E  O  O  A  S
F  F  R  J  S  R  V  R  K  R  R  F  Y
T  O  O  F  E  R  O  F  O  E  O  O  A
F  R  F  O  R  T  X  P  T  F  D  F  F
```

◊ FORAY   ◊ FORESHOW   ◊ FORMAL

◊ FORBID   ◊ FORETASTE   ◊ FORSOOK

◊ FORDING   ◊ FOREWING   ◊ FORSWEAR

◊ FOREFOOT   ◊ FORKED   ◊ FORTIETH

◊ FOREIGN   ◊ FORKLESS   ◊ FORTIFY

◊ FORESAIL   ◊ FORKLIKE   ◊ FORTRESS

"CON" Starters

```
C G O C O N V O Y S X T C
O C C O N G E R R E C D O
N O N C O N E E V O C O N
A N O C O S K N N C C K R
Z T I O R N O C O N F E R
C E T N O C G N L E C O U
O M A C O N C O V M O O O
N P R H U E O I U C N K N
S O E A R R N R M O T M O
C R D N J N D C O N R I C
I A E B O N O O T I O E H
E R F C U O R N F C L F B
N Y N N O C O N C A V E N
C A O G O N O C A L I R O
E C C N R C Y N O C N O C
```

◊ CONCAVE   ◊ CONFIRM   ◊ CONSCIENCE

◊ CONCERN   ◊ CONGER   ◊ CONTEM-
PORARY

◊ CONCH   ◊ CONGO
◊ CONTROL

◊ CONDOR   ◊ CONICAL
◊ CONUNDRUM

◊ CONFEDERA-   ◊ CONKERS
TION   ◊ CONVEX
◊ CONNIVE

◊ CONFER   ◊ CONVOY

At the Beach

```
Q T S E S S A L G N U S S
U U L C Z T X S F W A L S
D A Q S E S U S S N D E O
V Q Z L B N E O D C V S T
Q F N L B N Q C W A S L J
L I X E U O A N W H E O L
S S D D L S O S O J D O G
K D P R T I X L E F I P N
C P P L S A F L G Y T I I
O L E I E L L E S F N R H
R I Z H C Y E H G P A O S
E E E L F K I S X U A P I
Z O I I V I T S S T A D F
S F S P D T T S Y U I R E
F H W L D E V R L N M I D
```

◊ CLIFF   ◊ LIFEGUARD   ◊ SHELLS

◊ DUNES   ◊ MUSSELS   ◊ SPADE

◊ FISHING   ◊ PIER   ◊ SUNBED

◊ INLET   ◊ POOLS   ◊ SUNGLASSES

◊ JELLYFISH   ◊ ROCKS   ◊ TIDES

◊ KITE   ◊ SANDCASTLE   ◊ WAVES

Let's Agree

```
E C S E I U Q C A R O S Y
I D O T F H O F V D M D E
S L T A V I H E T I N U D
T M Z A N E G A G N E S E
E U E C L C F T R D L E C
E Q I E M L J I A M B A C
X D T D T Y Y U R N O Y A
E O E D N A T S R E D N U
W Q C C L Y I E L D I N Y
O T O D N I J N D R U U O
L J H I A O M D O L T N M
L A E T T A C O M S G I D
A O R A T C O R F G I S E
O D E C I D E S A K G N X
F T H E H T O E O B O N U
```

◊ ACCEDE   ◊ DECIDE   ◊ SUIT

◊ ACQUIESCE   ◊ ENDORSE   ◊ TALLY

◊ ALLOW   ◊ ENGAGE   ◊ UNDERSTAND

◊ COHERE   ◊ HARMONY   ◊ UNISON

◊ COINCIDE   ◊ MATCH   ◊ UNITE

◊ CONCEDE   ◊ MEET   ◊ YIELD

Zoology

```
E C N A I T N E I L A S N
K I T D E N I R E S N A D
A L E Q L O T P L C R U N
N O J E A I F E T U D I U
B B G S C A L Y N X B N C
A A I E S I W A A H I V A
T T A I C R K A M X V E U
R E C C C A N I N E A R D
A M E F A N L P R T L T A
C N M L E U Z I G A V E T
H N A L I L D G D D E B E
I D I V S G I A O E R R D
A D C K I E A N L P O A E
N U N I V A L V E F R T E
O K G I Z W N U N N V E I
```

◊ ACAUDAL   ◊ BIVALVE   ◊ METABOLIC

◊ ANNELID   ◊ CANINE   ◊ PEDATE

◊ ANSERINE   ◊ CAUDATED   ◊ SALIENTIAN

◊ ANURAN   ◊ FELINE   ◊ SCALY

◊ AVIAN   ◊ INVERTE-   ◊ UNIVALVE
                 BRATE

◊ BATRACHIAN   ◊ VAGILE

               ◊ MANTLE

Tropical Fish

```
P  S  U  C  S  I  D  P  Z  A  U  A  O
M  L  O  A  J  Y  L  E  H  C  R  I  H
G  U  P  P  Y  A  H  Q  A  O  Y  T  S
I  S  P  W  T  S  L  P  B  A  R  R  R
L  E  F  Y  I  E  D  S  N  J  O  O  K
R  E  O  F  I  E  A  G  T  S  C  G  E
A  A  T  T  R  R  E  Y  Y  W  O  I  P
M  A  C  F  O  L  E  B  O  U  L  L  D
C  V  A  S  F  C  A  D  R  U  E  K  M
I  F  H  I  O  R  I  A  J  C  O  U  E
C  L  S  N  B  J  M  N  O  J  R  A  Q
H  H  W  W  D  I  A  I  C  E  T  A  I
L  G  O  C  H  K  O  O  V  L  Z  R  T
I  B  I  C  H  I  R  E  R  O  U  E  O
D  T  O  J  R  L  S  P  Z  I  E  S  B
```

◊ ANGELFISH   ◊ GOURAMI   ◊ PLECO

◊ BICHIR   ◊ GUPPY   ◊ RAM CICHLID

◊ CATFISH   ◊ JULIE   ◊ RASBORA

◊ CORY   ◊ OSCAR   ◊ RED PACU

◊ DANIO   ◊ OTOCINCLUS   ◊ ROSY BARB

◊ DISCUS   ◊ PLATY   ◊ SEVERUM

Nine-letter Words

```
N D J Q I O Y E Q T D T P
T L O C P A Q R S P N N T
H E T T E I H I K E O E P
T I P Y A T N P W N I M R
N F N R T R A S T T A H D
E E O D E I P N T T B C C
M N E D R R M A I R Z R E
A I O R I A O R U M I A A
T M N N A M N T O L L P S
S G T I I H A C M F I U E
E U P H O L S T E R E N F
T Y S O I P T E N B W D I
W R A T A P E O M Y D X R
D E Y A R T R O P I E Y E
D S Z L A B Y R I N T H D
```

◊ BRUTALITY   ◊ MINEFIELD   ◊ PORTRAYED

◊ CEASEFIRE   ◊ MODERNIST   ◊ TARPAULIN

◊ DEFORMITY   ◊ MONASTERY   ◊ TESTAMENT

◊ FULMINATE   ◊ NEWSPRINT   ◊ TIMESHARE

◊ HINDRANCE   ◊ PARCHMENT   ◊ TRANSPIRE

◊ LABYRINTH   ◊ PINSTRIPE   ◊ UPHOLSTER

Contains "RUM"

```
M U R J X M U R T C E P S
H O P E C T R U M O Z E F
B Y P L E C T R U M R T X
E P M I N T R U M P E T B
T M U L T O M U R S R R R
A U R M R R I R Y U E U U
N R A F U Y V L U A M N M
I F O M M R I S D M R B T
M Y M N Q P D C E R P R A
U Y R D M U R O L N U U A
R N N U O U O D B S M M S
U E R A M M L R M M U M A
M G D B L E U T U R R A O
E D S C L T N R R M O G Z
I M U R T N A T C I O E O
```

◊ BODRUM

◊ BREAD-
  CRUMBS

◊ CENTRUM

◊ CRUMBLE

◊ FRUMPY

◊ GRUMPILY

◊ OIL DRUM

◊ PLECTRUM

◊ QUORUM

◊ RUMBA

◊ RUMEN

◊ RUMINATE

◊ RUMMAGE

◊ RUMMY

◊ RUMPUS

◊ SPECTRUM

◊ TANTRUM

◊ TRUMPET

Pets

```
H Y Y S G O L D F I S H B
F S T I B B A R N M E N A
U H E R M C O A L K C U D
A E W A Y G A T V V D P X
T T D G O M O U S E N A Y
A L J I F E A U E E M R L
O A K R U E R L S E O R V
G N I E D D R L G Z K O A
E D P G F P P R A O Y T R
Z P R D F G I G E P G E E
G O D U F T E L P T D G S
S N L B R T A U R I K O R
P Y T H O N P C P M O M O
S T I C K I N S E C T N H
I M D R U L D A N T N D D
```

◊ BUDGERIGAR   ◊ GOAT   ◊ PYTHON

◊ CAT   ◊ GOLDFISH   ◊ RABBIT

◊ DOG   ◊ HORSE   ◊ RAT

◊ DUCK   ◊ MOUSE   ◊ SHETLAND
                                    PONY

◊ FERRET   ◊ PARROT
                                  ◊ SPIDER

◊ FROG   ◊ PUPPY
                                  ◊ STICK INSECT

98   Trucks and Vans

```
G R A S C A L Z E T E A S
H B T T P O M A C K N I T
C Z E R D E P H E R E N E
L M E R L U T O N E D A R
Y H H E L R T U G N E C L
S Z D G O I G O N I F S I
J F P W U O N K L L E R N
E R N T H U N G N T E E G
N E L S I B N H O H A M B
K U S T A H I A D G V M E
N R Q A Y V A R H I N O E
F E F S E D R U V E W C S
Q M D C D Q D A M R D E S
E J O O R P R A L F L D A
C I A A F O J E C A P S E
```

◊ BERLINGO   ◊ FREIGHT-LINER   ◊ RHINO

◊ CADDY   ◊ SCANIA

◊ IVECO

◊ COMMER   ◊ SHERPA

◊ KENWORTH

◊ DAIHATSU   ◊ SHOGUN

◊ LUTON

◊ ESPACE   ◊ STERLING

◊ MACK

◊ FODEN   ◊ VIVARO

◊ RASCAL

```
A N D X Y L P E O S A D D
C I R F B D J C H E R R Y
C I S X U S D D D E R Y T
H U N H R N B U O V S Z D
R V L N C R Y H R O T N E
O T F I A U E A R U L R N
M N X C F B F T S U A B I
E N I L K U A C A S Y W G
D T A D Z A A R P L L E N
E M Z N Y N M B L I O P E
E B R I C K E O N E B W E
T I N O U R F D E A S S R
A S N N R C I E M J T I I
R G V Y B A I Q H T E K F
O U T L N L G U Q Z R I K
```

◊ AUBURN   ◊ CONGO   ◊ LOBSTER

◊ BLOOD   ◊ FIRE ENGINE   ◊ RASPBERRY

◊ BRICK   ◊ FLAME   ◊ ROSY

◊ CHERRY   ◊ FOLLY   ◊ RUBY

◊ CHROME   ◊ FUCHSIA   ◊ RUDDY

◊ CINNABAR   ◊ INDIAN   ◊ TUSCAN

100   Former Names of Countries

```
I  E  A  U  B  A  W  A  O  C  H  O  L
G  W  M  A  I  S  I  Q  A  T  O  P  N
N  H  L  B  B  M  Y  L  B  A  C  O  N
A  H  R  Y  E  L  E  Z  B  N  L  R  C
M  A  N  H  B  D  O  Y  A  Y  O  H  E
E  L  O  E  O  L  S  D  E  I  E  O  P
S  B  Q  N  W  S  A  C  V  H  R  D  E
O  D  I  J  I  H  V  Y  A  P  M  E  R
P  A  K  N  O  F  E  M  L  T  T  S  S
O  S  I  M  Z  O  O  B  E  A  H  I  I
T  A  E  Y  R  R  W  S  R  Q  X  A  A
A  Y  N  S  A  M  A  L  B  I  O  N  Y
M  R  S  V  U  O  N  U  M  I  D  I  A
I  U  I  T  T  S  F  A  S  H  N  E  B
A  A  I  I  N  A  L  J  R  S  Z  E  S
```

◊ ABYSSINIA

◊ ALBION

◊ BOHEMIA

◊ CALEDONIA

◊ CATHAY

◊ CEYLON

◊ DAHOMEY

◊ FORMOSA

◊ MANGI

◊ MESO-
  POTAMIA

◊ MORAVIA

◊ NEW
  HEBRIDES

◊ NUMIDIA

◊ PERSIA

◊ RHODESIA

◊ SIAM

◊ USSR

◊ ZAIRE

Warships

```
O N V X R Q I N G D A O B
G R P O U O F G E O A G B
D N T Q R W T L A O F F N
L V I H Y I V A K K I K O
F Q R R A Q K I I L A A I
N O R M A N D Y L D W R B
R N E V A D A U O O A O L
D K I Y Q S S O I V A L A
V V E U H T H U H I M Y G
Z X O A R N Y Y N Q Z A N
L R A I B E N E T L E T I
N R O Y A L O A K K P C M
N U Q M H S V Y B N H D I
S E S I X O E O B J Y Z T
H B M S Z N T D V W R O Z
```

◊ AKAGI   ◊ IOWA   ◊ NORMANDY

◊ ALBION   ◊ KIDD   ◊ QINGDAO

◊ DARING   ◊ KIROV   ◊ QUORN

◊ GLADIATOR   ◊ NELSON   ◊ ROYAL OAK

◊ HOOD   ◊ NEVADA   ◊ TAYLOR

◊ ILLUSTRIOUS   ◊ NIMITZ   ◊ ZEPHYR

Sixties Musicians

```
V T O F S I E I A X F W L
K L T J N D N I E N S E A
O N M Q Y L N R L E S Z O
G H B F E T S O E L S S Z
O Z W L S D X K M S I C A
U I V E R W E U O S O M N
Q I S Y H R O R E Y O A I
S X B E S T A D E O I L M
U A A S L N M B A B F I A
T I L U A T Z E M H S F L
A C L I K N A D L C S S S
T U D K H I T E Q A H J G
S I H E B T N A B E N E Y
S E I L L O H K N B V I R
K A W S J R U L S A A Q E
```

◊ ANIMALS

◊ BEACH BOYS

◊ BEATLES

◊ BYRDS

◊ CHER

◊ DIANA ROSS

◊ ELVIS

◊ HOLLIES

◊ KINKS

◊ LULU

◊ MELANIE

◊ MILLIE

◊ OSMONDS

◊ SANTANA

◊ SEEKERS

◊ SHADOWS

◊ STATUS QUO

◊ THE WHO

Varieties of Carrot

```
G O E F E A P R P L K X G
N U T L J R R A T F A O Y
U O K U D B O O K A M M E
N P I I I N O L V S A I L
A T N R A T A L A E R R R
N R G Y A V W C E V A P E
T O S R U M N S T R N I B
U V T F E K D A T E O B M
C E O R A K O A T D E A A
K R N Z X Z P N O R E W C
E O A E C O E K J S E I S
T N O I E X S O T G S B C
C B L L E B A R A P T Q V
D T C H I A O M L R A E T
O J G R Q R O V E R T Z H
```

◊ BERJO

◊ BERTAN

◊ BOLERO

◊ CAMBERLEY

◊ CLEOPATRA

◊ EVORA

◊ KAMARAN

◊ KAZAN

◊ KINGSTON

◊ MAESTRO

◊ MARION

◊ NANTUCKET

◊ PARABELL

◊ PRIMO

◊ SWEET CANDLE

◊ TREVOR

◊ VALOR

◊ YUKON

104 Tchaikovsky

```
D E S I R E E A R T O T E
N U T C R A C K E R N A N
L T P N A L N N D T A R I
M H E M A N F R E D I D L
A E T T R R T R A V S N O
R T E M C J E O O Q S A I
C E R L O E L N N Y U X V
H M S S S Z M N M I R E M
E P B J T E A P C C N L A
S E U W C E H R H F C A Z
L S R K A O T O T D P F E
A T G Z N L L R S I S S P
V E Y Y X E T Y A V A Q P
E O I T R E Y N O U O N A
O T S A I T O W I T Q N A
```

◊ ALEXANDRA

◊ ANTONINA

◊ CHOLERA

◊ DESIREE ARTOT

◊ HAMLET

◊ MANFRED

◊ MARCHE SLAVE

◊ MAZEPPA

◊ MOZARTIANA

◊ NUTCRACKER

◊ PIANO

◊ QUARTETS

◊ RUSSIAN

◊ ST PETERSBURG

◊ SYMPHONY

◊ THE TEMPEST

◊ VIOLIN

◊ VON MECK

Dogs' Names

```
N O N W D A H T N A M A S
Z T M O M S S T I Q Y H B
E N T B S A P J U H P U T
T W E Q E K M E P C T N E
N R I R U F C R T C K T I
X D K N O I U A H S H E L
S J D F S M E L J O T R R
C O X M K T T A E L G S A
R O S W P W O N U D T U H
A T N N T L I N W R S O C
P H G B H M B N A N D I A
P P S O S J E C Z Z D C A
Y U T A Z D S L N S E E S
D E J T T O B Y B E A R U
Y S O B R U N O S M J P D
```

◊ AMBER

◊ BEAR

◊ BRUNO

◊ BUTCH

◊ CHARLIE

◊ HUNTER

◊ JACKSON

◊ JASMINE

◊ MURPHY

◊ NERO

◊ OSCAR

◊ PRECIOUS

◊ SAMANTHA

◊ SCRAPPY

◊ TASHA

◊ TOBY

◊ TUCKER

◊ WINSTON

Six-letter Words

```
R D D F Q K G I Z I I T E
R R Q L G F F N G R N W B
O A E I R B D H Q O J E E
Q V J G U U E I I I O N R
E A C H N V S N S N Y W R
W X U T R A I F E E V E X
I K T U D M R T N S T O G
B E E H F E E D S T V A J
Y I S D L S Y U O A B Q H
O G T T E S Q J R B R A C
L Q N E H T N I L P Z V N
P A T I A B S E N T C L E
M H X V Z D I U P A U A T
E U S H T A R F R R D K S
L W W K I E G X I Y Y U B
```

◊ ABSENT   ◊ GABBLE   ◊ RUSTED

◊ ANTLER   ◊ GAZING   ◊ SEETHE

◊ CUTEST   ◊ JOTTER   ◊ SENIOR

◊ DESIRE   ◊ MINION   ◊ SENSOR

◊ EMPLOY   ◊ PLINTH   ◊ STENCH

◊ FLIGHT   ◊ RANGER   ◊ SYDNEY

"U" Words

```
U  S  T  I  M  U  E  R  B  F  U  D  U
K  S  T  U  N  D  E  R  H  A  N  D  X
K  U  U  V  E  A  U  U  J  E  P  S  U
T  O  U  R  A  R  B  P  N  R  A  L  N
N  A  U  D  Y  U  D  R  E  V  T  I  D
E  N  R  U  U  I  T  C  U  R  R  S  E
G  T  A  L  U  C  L  S  A  X  I  N  R
R  A  N  L  U  U  U  V  U  D  O  E  N
U  U  I  A  X  D  I  U  N  U  T  T  E
D  F  U  G  D  O  U  N  I  U  I  U  A
U  I  M  E  L  P  U  T  O  U  C  U  T
I  U  R  E  W  U  A  I  N  M  U  G  H
H  N  T  I  U  H  G  E  I  B  E  N  D
R  U  N  H  U  R  T  D  S  E  S  A  W
U  D  L  C  I  W  B  J  T  R  N  W  U
```

◊ UDDER   ◊ UNDERHAND   ◊ UPWIND

◊ ULCER   ◊ UNDERNEATH   ◊ URANIUM

◊ ULLAGE   ◊ UNHURT   ◊ URBAN

◊ ULNAR   ◊ UNIONIST   ◊ URGENT

◊ ULTRAVIOLET   ◊ UNPATRIOTIC   ◊ USURY

◊ UMBER   ◊ UNTIED   ◊ UTENSILS

"V" Words

```
V Y T J T N E M E H E V D
N S V E R V E V S A C I T
I E C O W R V I C M V R B
V E I A U N U B S E I T V
H T E T E Q A R N C L U E
I A L Q N U E M N I L O N
E U G A V T V E D N A U E
V S V W O V D R E E I S X
R O U V O O A R R V N N I
R V W N V N A E E S U E V
V S F E E B D V G U A S P
S R S B L V E H R A G S V
E B R E V B I G L B S O O
T E E S U O I R O T C I V
V V K V E N E Z U E L A V
```

◊ VAGUE   ◊ VERBENA   ◊ VIXEN

◊ VANQUISH   ◊ VERVE   ◊ VOGUE

◊ VEHEMENT   ◊ VICTORIOUS   ◊ VOTERS

◊ VENEZUELA   ◊ VILLAIN   ◊ VOWEL

◊ VENICE   ◊ VIRTUOUS-   ◊ VULNERABLE
                   NESS

◊ VENUS   ◊ VULTURE

                 ◊ VISAGE

Beekeeping

```
D Y L L E J L A Y O R I Y
D N U G W B S E E Q Q H I
K A G A R D E N M S Y I A
I S H U M M I N G A S V E
O X R D I F P N R R R E G
K O Q S E T I M Y D F F Y
A K D E T W A F E C L N P
N L L R X R G G P R O H N
F E A A A I T B J S W O E
D I L R P T A W Q A E D J
M N L L V I C P Y U R O G
L S S D O A A E T O S O E
L E D U T P E R N C G F A
O C B R O O D E Y V E I L
R T R E N R C D L D O C D
```

◊ APIARY   ◊ FRAME   ◊ MITES

◊ BROOD   ◊ GARDEN   ◊ NECTAR

◊ DRONE   ◊ HIVE   ◊ POLLEN

◊ EGGS   ◊ HUMMING   ◊ ROYAL JELLY

◊ FLOWERS   ◊ INSECT   ◊ VEIL

◊ FOOD   ◊ LARVAE   ◊ WINGS

Rivers of Britain

```
Y T G H N L V T G T T T Q
N W Y I T O I E R T E S I
T E S N A R F Y E F O E V
X L Z F E R A R A L T Z S
R L E B A W R Q T R E N T
P A Y H D A U E O U C X H
F N W E P G N O U E K N C
R D M S K R R X S S R M T
D S I G Y H S N E O O Q O
L E R I N Q O F H R L F R
J Y A P N V I D I Z W U E
R A T E A C N S S E O N R
X R D A U I T X A T V N D
Y E W O F O A R S Q E H D
Q S U D N F L D O X O N A
```

◊ AVON   ◊ MORISTON   ◊ TYNE

◊ EDEN   ◊ PARRETT   ◊ WEAR

◊ FINDHORN   ◊ STOUR   ◊ WELLAND

◊ FOWEY   ◊ TAFF   ◊ WHARFE

◊ GREAT OUSE   ◊ TEES   ◊ WYE

◊ MEDWAY   ◊ TRENT   ◊ YARE

Richards

```
L L R P N B Z T V A F E W
D L L N F S R D R O Y R P
F E E G N H O J P U E P S
W W O I A T V E A T O M L
D M X E C G R L N Y A C T
M O N A M N Y E F D S A S
N R R Y O Z P X A I T S S
Y C S P E R N L J U R H I
D Q N I A L R E B M A H C
Y V D C M S E E Y M U N N
Y C A R T M R D S T S L A
R A G D E E O J A Q S B R
K S A N G K I N G M I Y F
L O T H P M A I S Y A R B
S H T I F F I R G Q O D Z
```

◊ ADAMS

◊ BYRD

◊ CARPENTER

◊ CHAMBER-
   LAIN

◊ COURT

◊ CROMWELL

◊ EDGAR

◊ FEYNMAN

◊ FRANCIS

◊ GERE

◊ GRIFFITHS

◊ MADELEY

◊ NIXON

◊ PRYOR

◊ SIMMONS

◊ STRAUSS

◊ TRACY

◊ UPJOHN

Photography

```
W I B V S N I A T E F D S
T O I D U T S E S P F S E
E N L A R G E M E N T V D
T I N T S U N F I H I Y I
P O T S F M L H G T C S L
R P N L A I A I C N L E S
U E P E S S L E E B O L P
P L B N R T P R Q H S G E
I R A O O S A C S P E N D
Q P J P R P T T A M U A T
S B S E S T O F C M P T C
R N P N F H S D R O E M A
W U A R D O D G E S G R I
M R L W N E S O G T J G A
T P J B N T T P Z D X L E
```

◊ ANGLE

◊ BLUR

◊ CAMERA

◊ CLOSE-UP

◊ DODGE

◊ ENLARGE-
MENT

◊ F-STOP

◊ HOT SHOE

◊ MATT

◊ PERSPECTIVE

◊ SLIDES

◊ SNAPS

◊ SPOTLIGHTS

◊ STROBE

◊ STUDIO

◊ TINTS

◊ TONER

◊ TRANS-
PARENCY

Drinking Vessels

```
S T R M L S U H P Y C S Q
S C Y U D I X Q A N D E M
A A O P U C E E F F O C P
L S K W S K X M W J C U V
G S S S P I H H N C P E
E M S A P L W O B E U T R
N S L A L P P U C O L A N
I F U I L G N A T O S Z E
W T I R R G R S B X H Z E
Y U O T C G R E K G J A T
N N V R R Q A E T Z U E N
C Y L I X K K O E A L M A
D P A P E R C U P B W O C
S F P R X Q O A O J M A A
C D N N N O G G I N C R
```

◊ BEAKER

◊ BEER GLASS

◊ BOWL

◊ CANTEEN

◊ COFFEE CUP

◊ CRUSE

◊ CYLIX

◊ FLASK

◊ GOBLET

◊ GRACE CUP

◊ MUG

◊ NOGGIN

◊ PAPER CUP

◊ SCYPHUS

◊ STOUP

◊ TAZZA

◊ WATER
   GLASS

◊ WINE GLASS

114   **Small**

```
E  U  V  R  F  M  P  W  A  Y  J  N  N
T  S  L  W  I  N  J  B  K  I  E  N  H
U  L  T  N  W  F  Q  N  A  K  D  G  M
N  O  O  L  N  D  I  W  N  N  I  B  E
I  R  I  I  H  D  E  U  I  H  T  A  A
M  V  F  S  M  K  R  R  E  V  R  A  N
F  L  I  S  P  H  D  E  A  S  I  N  M
E  L  U  C  S  U  N  I  M  P  F  B  E
Q  S  N  T  L  K  K  S  A  E  L  U  V
Q  I  H  J  N  B  P  L  T  K  I  O  U
Q  I  Y  R  E  L  T  T  I  L  N  O  J
N  O  T  N  I  R  T  L  A  I  G  Q  F
R  Z  T  O  Y  M  I  I  X  L  V  A  T
S  E  E  W  E  E  P  Q  N  R  O  W  Q
E  O  P  R  G  O  O  Y  M  Y  F  S  R
```

◊ BANTAM   ◊ MINOR   ◊ PETTY

◊ DINKY   ◊ MINUSCULE   ◊ SHRIMPY

◊ ELFIN   ◊ MINUTE   ◊ SHRUNKEN

◊ KNEE-HIGH   ◊ PALTRY   ◊ THIN

◊ LITTLE   ◊ PARED   ◊ TINY

◊ MEAN   ◊ PEEWEE   ◊ TRIFLING

Look

```
C E F U W E Y E U P T G V
O E R A S E M P Z U O X B
N H T A K E I N S G V E T
T O M C L T Z V G E S O E
E L C L S A J L S P O Z X
M L C G S E E T M L N F Z
P P O I R E G I S T E R I
L S N S D S L J U J P J I
A Q S J T G H C T A W U D
T O I U A L E T T E Z B E
E I D E C N A L G C Z C R
Z Y E O B S E R V E I A E
I L R R O E U D S T L E G
N Z X H X S P R O S C A N
V U E X A M I N E R A T S
```

◊ CONSIDER
◊ CONTEM-
  PLATE
◊ ESPY
◊ EXAMINE
◊ EYE UP
◊ GAZE

◊ GLANCE
◊ GLIMPSE
◊ GOGGLE
◊ NOTICE
◊ OBSERVE
◊ REGISTER

◊ SCAN
◊ STARE
◊ STUDY
◊ TAKE IN
◊ VIEW
◊ WATCH

"WINE ..."

```
T D V U T D L T R S Q L C
P T V O C M U E A N I K S
R K L T V V T L L S S V X
T B E U N N I I T A T O H
S E N A A A Q N L N B E G
K T N C E V H E E R W L R
T S E I W T S C Y G A Z T
A D A S D M M A R P A C E
M G L C A D C S V E W R K
E R G N R V N L U C M I C
E O O U V E P A R G B N U
C W M T A B T F K U Y B B
X E T U S L A I X M Q J L
E R A M D M D R A S E I E
A N Q Q Z D S I S W R T S
```

◊ AND DINE   ◊ GRAPE   ◊ SALESMAN

◊ BARS   ◊ GROWER   ◊ SKIN

◊ BOX   ◊ GUMS   ◊ TASTER

◊ BUCKET   ◊ LIST   ◊ VAULT

◊ CASK   ◊ MERCHANT   ◊ VINEGAR

◊ DECANTER   ◊ RACK   ◊ WAITER

Aim

```
F  T  P  G  S  G  U  W  N  K  R  A  M
T  P  X  J  X  L  R  O  T  E  H  S  F
E  M  V  I  W  G  I  M  N  I  S  P  S
N  E  Z  S  E  T  O  I  O  N  D  I  L
D  T  I  G  I  S  M  A  B  T  R  R  D
E  T  O  B  V  R  J  W  L  E  I  E  K
N  A  M  N  E  E  T  F  A  N  S  V  E
C  A  P  T  J  S  N  S  K  T  T  T  E
Y  W  E  R  T  H  O  P  E  I  T  E  E
H  D  U  R  E  N  U  P  N  O  E  V  H
T  U  E  D  R  R  Q  P  O  N  I  H  I
V  H  O  C  P  W  V  L  O  R  T  U  R
E  R  G  O  S  R  I  L  T  I  P  R  O
I  A  S  I  B  I  Q  S  K  O  N  I  N
E  E  E  E  S  K  S  F  H  O  M  T  U
```

◊ AMBITION   ◊ INTENTION   ◊ REASON

◊ ASPIRE   ◊ MARK   ◊ SIGHT

◊ ATTEMPT   ◊ MOTIVE   ◊ STRIVE

◊ DETERMINE   ◊ POINT   ◊ TENDENCY

◊ GOAL   ◊ PROPOSE   ◊ VIEW

◊ HOPE   ◊ PURPOSE   ◊ WISH

Jane Austen

```
M C S V O J E E V E L Y N
M R Y Z G K A V G U E H O
O L O R N A R M T L V U U
P M D N N O T S E W R M G
N L N L I S T E Z S I E W
O R K I F L T L L O O D I
T H O M A S E G E R T O N
W O O M Y A M I G R D O C
A E M C A R M E N E M W H
H K U L Y N A C T X J H E
C L Y A E R C O N M N S S
L F T N T F P E O U A A T
Y E N N A I R A M O Z D E
S N G K T O M O O F T H R
L A D Y D A L R Y M P L E
```

◊ CHAWTON

◊ DASHWOOD

◊ ELINOR

◊ EMMA

◊ EVELYN

◊ GEORGE

◊ JAMES

◊ LADY
   DALRYMPLE

◊ LUCY STEELE

◊ MARIANNE

◊ MR ELTON

◊ MR WESTON

◊ MR YATES

◊ ODE TO PITY

◊ ROMANCE

◊ THOMAS
   EGERTON

◊ TOM LEFROY

◊ WINCHESTER

```
I  P  M  L  A  U  D  A  R  G  W  H  T
I  Y  D  M  D  E  X  A  L  E  R  G  B
D  L  W  B  G  A  O  W  G  N  P  S  V
C  E  G  E  S  L  A  R  U  T  A  N  M
I  R  I  M  L  L  O  L  U  L  H  L  D
S  U  O  R  K  S  A  G  U  E  A  E  R
A  S  T  O  R  I  C  I  N  C  H  F  A
B  I  V  E  V  U  H  Z  L  X  O  F  H
J  E  W  I  B  L  H  A  N  O  S  O  T
R  L  R  L  T  E  U  N  L  C  I  R  O
D  T  I  H  O  S  R  P  U  E  M  T  N
J  S  V  G  A  F  R  U  A  A  P  L  N
Y  K  J  C  H  O  L  I  S  M  L  E  Z
Q  I  E  O  O  T  I  L  Y  I  E  S  K
F  E  L  F  T  C  M  J  N  A  A  S  H
```

◊ BASIC   ◊ GENTLE   ◊ RELAXED

◊ CALM   ◊ GRADUAL   ◊ SIMPLE

◊ CASUAL   ◊ LEISURELY   ◊ SURE BET

◊ CINCH   ◊ LIGHT   ◊ TRIVIAL

◊ EFFORTLESS   ◊ NATURAL   ◊ UNHURRIED

◊ FOOLPROOF   ◊ NOT HARD   ◊ WALKOVER

120   Go

```
L N D N N I U W I B R B E
E P N V A M O O S E S V I
M S O I A T T A M T I U L
H L C P J M V B A R Y U E
S I S R D W A R D H T I W
I F B O A R T J A G N J S
N W A C K M A K E F O R L
A M L E W I D N O L A I R
V O M E L T A W A Y T R K
R V I D Z E L E L B N S S
H E O Q U I C K Z J I E S
S H T I X E Q N H W G T T
F M E Y T T N S N T E O C
L I D A D V A N C E B U K
D N W H D G I Q N B Y T D
```

◊ ABSCOND   ◊ HEAD   ◊ SCRAM

◊ ADVANCE   ◊ MAKE FOR   ◊ SET OUT

◊ BEGIN   ◊ MELT AWAY   ◊ START

◊ DRIVE   ◊ MOVE   ◊ VAMOOSE

◊ EMBARK   ◊ PROCEED   ◊ VANISH

◊ EXIT   ◊ QUICK   ◊ WITHDRAW

The Auction

```
R S T B D K N V S I N A S
I M E E O L B E V D K D Z
L E Y E N O M X P R O X Y
L M L Q O R I C O M O O X
R O E K Z H E I E H Z E G
G R S N E S A T L U R V E
N A N W E S L E N Z I R E
I B K S S M R M E I E E E
W I A G Y A S E R L L S R
E L L P R H N N Y A G E E
I I C L E R K T J U L R L
V A O L E D S A I A B J O
Z O V T E T R F E Q L V T
M E D A L S L D O Y U S S
S C R A D R R P I O A E R
```

◊ ANTIQUE   ◊ GOODS   ◊ MONEY

◊ BOOKS   ◊ INTERNET   ◊ PROXY

◊ BUYERS   ◊ JARS   ◊ RESERVE

◊ CLERK   ◊ LOTS   ◊ SHELVES

◊ DEALER   ◊ MEDALS   ◊ STYLE

◊ EXCITEMENT   ◊ MEMORABILIA   ◊ VIEWING

Delivery Service

```
K N S J B T U O Z E S S D
L A T S O P R F G S T S T
S U T L I P R A P S C E T
P N S R L G I E R E U R L
T I A E U R N P V N D P U
N N K V R C D A N I O X K
I S E A Z O K X T S R E R
S U C R I U T P S U P D O
U R W I S A A S S B R W W
G A R R R C R E E S T E T
Z N A O K I A I R L I N E
M C I A F A S F D D Y W N
Q E G D Y I E S D O O G E
B E F S N E Q Y A D Z X B
Y J D O O R T O D O O R E
```

◊ ADDRESS

◊ AIRLINE

◊ BUSINESS

◊ CARRIAGE

◊ DOOR-TO-
DOOR

◊ DRIVER

◊ EXPRESS

◊ GOODS

◊ INSURANCE

◊ NETWORK

◊ PACKAGE

◊ POSTAL

◊ PRODUCTS

◊ ROADS

◊ SIGNATURE

◊ STORES

◊ TRUCK

◊ VANS

British Monarchy First Names

```
S  M  M  I  D  S  L  I  C  J  O  C  J
S  U  G  N  A  A  G  Y  R  A  M  H  Y
H  N  X  K  E  N  R  E  T  Q  A  A  A
C  T  E  B  R  R  H  T  X  S  R  R  R
C  H  A  R  L  E  S  R  H  Q  G  L  D
L  E  A  H  C  I  M  M  N  U  A  O  N
P  N  O  Y  M  O  I  D  E  E  R  T  A
U  I  K  O  G  A  R  W  L  L  I  T  X
N  S  Q  T  E  G  I  O  E  C  T  E  E
E  L  I  N  I  E  U  L  H  O  A  P  L
D  S  N  I  S  I  S  E  L  B  H  J  A
W  A  W  W  S  V  N  A  L  I  C  E  T
A  J  V  E  U  R  A  A  L  E  W  W  N
R  R  K  I  Y  R  R  I  A  R  A  Z  L
D  D  C  P  D  F  P  N  R  I  Q  R  N
```

◊ ALEXANDRA   ◊ CHARLOTTE   ◊ MARGARITA

◊ ALICE   ◊ DAVID   ◊ MARY

◊ ANGUS   ◊ EDWARD   ◊ MICHAEL

◊ ANNE   ◊ HELEN   ◊ PHILIP

◊ ARTHUR   ◊ HENRY   ◊ WILLIAM

◊ CHARLES   ◊ LOUISE   ◊ ZARA

Greek Mythology

```
E S N M S A L W N R K I A
I C T O B M C S L I A F O
R Y M Y I N K H N S I A O
J L D E X R E G E A A I E
X L A C D S O C C R G T O
N A T U R E A H T Z O W B
A C U S D R A E Y F J N R
S Y H I G Z V R R D B M Q
I U P A T E O I E O R L I
D U E P O R E T S A B A O
S H A H S S E H I E M L I
O L A D P L T N C E M B R
R U S D D R T E L Y S A Z
O T A R E R O H C I S L N
E I J L G S E A N Y M P H
```

◊ ACHERON   ◊ GRACES   ◊ ORION

◊ ASTEROPE   ◊ HADES   ◊ ORPHEUS

◊ BOREAS   ◊ HYDRA   ◊ PSYCHE

◊ CHAOS   ◊ ICHOR   ◊ SCYLLA

◊ ERATO   ◊ KING   ◊ SEA NYMPH
               OEDIPUS

◊ GAIA   ◊ STYX

             ◊ MEDEA

Capital Cities of Asia

```
G W A D I Y P Y A N I M S
P F O Y K O T A J K E G D
H K Z S Y N T P A X P C U
N L Z Y K R M T O L I L L
O G R V A O H A A A A U A
M S S K I M K D N N T O A
P C A D A E L G L I T E N
E J D N N U N U N A L S B
N S D W A N T T B A N A A
H U A A T S D A I A B P A
X D H E S H G V J A K D T
N D N O A H X Y X J N Z A
L W L K S I O N A H J E R
J B A A I C N A R H E T Q
B E E B N A H S U D H P N
```

◊ ASHGABAT   ◊ JAKARTA   ◊ SEOUL

◊ ASTANA   ◊ KABUL   ◊ TAIPEI

◊ BANGKOK   ◊ KATHMANDU   ◊ TEHRAN

◊ DHAKA   ◊ MANILA   ◊ TOKYO

◊ DUSHANBE   ◊ NAYPYIDAW   ◊ ULAAN-
                                   BAATAR

◊ HANOI   ◊ PHNOM PENH

                                 ◊ VIENTIANE

Musicals

```
J  G  U  O  S  I  T  D  E  R  X  E  R
X  K  T  O  M  M  Y  U  E  R  J  S  E
M  L  I  R  Y  Z  X  W  O  E  A  E  I
L  R  I  S  I  R  U  N  P  H  G  Y  G
Y  A  A  F  S  T  O  Q  Y  O  S  E  I
H  S  I  T  B  M  A  F  O  W  Q  T  G
T  N  F  O  O  T  E  R  Y  E  V  H  J
X  E  A  O  I  P  C  K  U  Z  E  G  K
C  Y  M  V  A  S  H  N  A  H  A  I  N
P  A  E  I  A  H  E  A  D  T  A  R  O
I  A  T  Z  T  V  S  E  T  S  E  B  C
A  F  N  S  A  G  N  O  O  M  W  E  N
F  U  N  N  Y  F  A  C  E  R  N  A  A
L  E  S  M  I  S  E  R  A  B  L  E  S
S  H  O  R  T  E  I  H  N  S  M  A  X
```

◊ ANNIE

◊ AVENUE Q

◊ BRIGHT EYES

◊ CATS

◊ CRAZY FOR
   YOU

◊ EVITA

◊ FAME

◊ FUNNY FACE

◊ GIGI

◊ HAIR

◊ KISS ME KATE

◊ LES
   MISERABLES

◊ NEW MOON

◊ RAGTIME

◊ SCROOGE

◊ SHOUT

◊ TOMMY

◊ TOP HAT

Things That Can Be Broken

```
E W C R L I P E N V I I T
D S A O U M A B Z B S U S
G K A V M L K K I W G T X
S F E V Y M E L A P A G K
Q X B E B A A S Z L C E D
W J E C N E D N E P E D R
Y N O T O N O M D L M A O
O P O Y J Z A Q C M N A H
C Q O V E T E I S K E W C
I S O L E G C X S Y Q N P
O W Y N L I M B S N T X T
S J N A R Q Q R J S E Y E
W X S A N M X A U N W W I
H S P I R I T R O C K S S
A R R R D Q T H A B P R N
```

◊ ALIBI

◊ CAMP

◊ CHORD

◊ COMMAND-
MENT

◊ DEPENDENCE

◊ GLASS

◊ ICICLE

◊ LIMBS

◊ MONOTONY

◊ NEWS

◊ RANKS

◊ ROCKS

◊ RULES

◊ SPIRIT

◊ STALEMATE

◊ TRUST

◊ VASE

◊ VOWS

Norse Deities

```
E  I  R  N  I  T  A  N  N  A  N  W  N
O  V  H  W  N  T  D  N  L  H  I  E  T
E  S  I  I  A  O  D  K  A  D  D  Y  Y
U  T  H  L  M  N  C  K  J  F  O  L  H
B  L  O  R  T  N  U  G  H  T  N  I  S
D  S  E  M  N  T  Y  F  Y  R  W  A  E
X  H  E  N  V  V  X  N  H  O  J  K  T
N  N  K  F  D  E  O  P  I  M  T  V  R
P  A  D  R  O  J  N  P  E  U  H  A  V
M  R  B  V  F  F  A  N  U  R  B  E  O
F  I  S  E  L  T  D  Z  C  K  E  S  L
Z  S  G  U  L  L  V  E  I  G  T  T  Y
V  E  N  A  L  J  E  C  R  A  Z  N  A
A  S  A  I  R  A  H  O  R  R  D  U  Q
A  E  A  G  T  B  P  A  Y  A  B  E  I
```

- BRAGI
- GEFJON
- GULLVEIG
- HARIASA
- HEL
- HERMOD
- MANI
- NANNA
- NJORD
- NOTT
- ODIN
- OSTARA
- RAN
- SINTHGUNT
- SOL
- TANFANA
- TAPIO
- TIW

```
M R Y G O K T L M D D C E
T E R N A M Z N F U H K O
X Q B O K C H O Y O G S K
O F L H Y T N G P E F S E
E I S C E Z D S I T L U P
N C I U S I T G O N F Z B
A H L O M I G G W O K H Z
C O K S C H G N T D N G L
D W U K W R Z O O E F Z O
P M S H O E R T Z L B L N
T E R Y T T G A A V O O G
D I D G W Q D H H I L O A
C N L S O Z F U U C C N N
L H O J K N A P M A S H I
O L L C W O T S Q A H S I
```

◊ BOK CHOY   ◊ KAOLIN   ◊ SILK

◊ CHAR   ◊ KOWTOW   ◊ SOUCHONG

◊ CHOPSTICKS   ◊ LONGAN   ◊ T'AI CHI

◊ CHOW MEIN   ◊ OOLONG   ◊ TOFU

◊ DIM SUM   ◊ PEKOE   ◊ TONG

◊ GINKGO   ◊ SAMPAN   ◊ ZEN

Beer

```
S  I  B  X  F  E  R  S  S  R  N  E  R
S  P  M  E  J  L  E  B  D  O  J  N  I
R  G  O  J  T  A  O  Q  G  U  Q  E  E
A  J  E  H  X  T  F  P  T  Q  S  Y  L
M  Q  O  K  T  S  L  T  G  I  E  X  E
D  R  A  L  L  E  C  F  R  L  P  T  R
S  A  E  E  R  V  Q  S  R  O  J  B  R
L  S  F  Y  L  R  D  A  S  P  P  D  A
T  A  M  O  R  A  B  Y  V  P  B  X  B
L  E  J  A  B  H  D  R  D  O  I  W  E
L  A  L  F  Y  G  R  L  E  E  R  C  D
U  S  J  E  H  M  E  R  O  W  R  S  Y
N  I  A  I  Y  I  G  O  S  I  E  R  M
N  S  V  W  Q  L  A  L  N  W  O  R  B
T  J  K  N  E  D  L  O  G  E  T  K  Y
```

◊ AROMA   ◊ CELLAR   ◊ LAGER

◊ BARLEY   ◊ EXPORT   ◊ LIQUOR

◊ BARREL   ◊ GOLDEN   ◊ MILD

◊ BOTTLE   ◊ HARVEST ALE   ◊ OLD ALE

◊ BREWERY   ◊ HOPS   ◊ SPICY

◊ BROWN   ◊ KEGS   ◊ YEAST

Castles

```
T N N L L K V S E G E I S
O A E C E A Y I R Z S T S
V D F E R I E E C T Q O H
A E P S N E A C L E F W L
S R T E S T N U H I S E L
K R Y A H R A E Y A A R T
R X V A G V C G L W P B S
O X L M Y N R A R X J E A
W L K T W U R T M R D S L
H W K Y E N J E O Y R J L
T R E D D A O W T I E D Y
R H W I A L G A T S U L P
A S T A O M L Y E T O O O
E C E R U S A R B M E P R
H E E H D I Z D R O L V T
```

◊ BAILEY   ◊ GATEWAY   ◊ REDAN

◊ CHAPEL   ◊ GREAT HALL   ◊ SALLY PORT

◊ CRENEL   ◊ KEEP   ◊ SIEGES

◊ DITCH   ◊ MOATS   ◊ TOWER

◊ EARTHWORKS   ◊ MOTTE   ◊ VAULTS

◊ EMBRASURE   ◊ POSTERN   ◊ VICES
                    GATE

Hiking Gear

```
P P K D L T E B L J J B W
S R A L U C O N I B L Q A
F T R C T O N Y R A Q N T
F R X E T I F G N N S I E
X F A S Q O Y K L U K I R
Z W J C O E E S N O C A F
K L H D S T R G S E V Z L
O P L I S E L Y L T T E A
S K C O S A C L U I C I S
T H J E S T P E N A A E H
R A D S W H L D M Z H F L
H T E M O S I E T C W I I
R S A N D L R N T Q Q N G
X P E I J A F A I P S K H
O K S A L F M U U C A V T
```

◊ BINOCULARS   ◊ FOOD   ◊ SCARF

◊ BLANKET   ◊ GLOVES   ◊ SOCKS

◊ BOOTS   ◊ HAT   ◊ SUNGLASSES

◊ CAMERA   ◊ KNIFE   ◊ VACUUM
FLASK

◊ CELL PHONE   ◊ MAP

◊ WATER

◊ FLASHLIGHT   ◊ MATCHES

◊ WHISTLE

Hippies

```
S G X R E Z Y P R A Y E R
R Z J H D V Z A P L A Z O
E R K C O T S D O O W E P
T O J O T D R V G P S E P
S T R B D G E J B N A D R
O G E N F I E G E C H R O
P E Y O N D K C E E G C T
R S D Q O M N D I P Y R E
E D E T T I N K D N A H S
L S I N H J A A T W E T T
A U T L U F W R C T L C L
X O O N T M Y M E L L O W
E N B A M Q M A L H A U Y
D S N I I L U O H C T A P
P A I S L E Y E C A S P T
```

◊ COMMUNE   ◊ LOVE-IN   ◊ POSTERS

◊ GROOVY   ◊ MELLOW   ◊ PRAYER

◊ HAND-   ◊ OP ART   ◊ PROTEST
  KNITTED
                 ◊ PAISLEY   ◊ RELAXED
◊ INCENSE
                 ◊ PATCHOULI   ◊ TIE-DYE
◊ KAFTAN
                 ◊ PEACE   ◊ WOODSTOCK
◊ KARMA

Buildings

```
C X H M U I R A L O S T K
G M C S T Y O K V N H Z O
O D R C J E Y D Y V E M E
O E U X N B X R R I T O P
O P H F V B I D C L O T D
Y O C F C A B I N L P E N
G T R Z D L F E G A S L P
Q M I Q I E G I L T M G O
S E T S K A V A W U C R B
M U M I R S C O D A T A U
P Q A A S E O T S R E N S
D S G L O I V I O D M G H
K O A N B I N I K H P E A
T M C X I O S T N G L U C
T I P R E X V N W U E U K
```

◊ ABBEY   ◊ GARAGE   ◊ PALACE

◊ CABIN   ◊ GRANGE   ◊ SHACK

◊ CASINO   ◊ IGLOO   ◊ SOLARIUM

◊ CHURCH   ◊ KIOSK   ◊ TEMPLE

◊ DAIRY   ◊ MOSQUE   ◊ UNIVERSITY

◊ DEPOT   ◊ MOTEL   ◊ VILLA

```
A Q T W B E Y T J P H E T
W S A N I D E V O I D I I
D U F U A Y U T L Y F T O
P O F H T C K B O T R N C
E T O A W O A I O P E U C
R I T K B O N V S M L R A
L U E T P S J O E E I E M
I T L E V O O R M E N L F
E A N X L E I L B O Q E D
S R H E W E G O V U U A B
I G A M S R Q I N E I S M
S F K P A K A P S S S E P
L Y G T S E A F W F H D H
R O I D E I P U C C O N U
H S O E D L R E L I E V E
```

◊ ABSOLVE

◊ AUTONO-
MOUS

◊ DEVOID

◊ EMPTY

◊ EXEMPT

◊ GRATIS

◊ GRATUITOUS

◊ LET OFF

◊ LOOSE

◊ OPEN

◊ RELEASE

◊ RELIEVE

◊ RELINQUISH

◊ SPARE

◊ UNOCCUPIED

◊ UNPAID

◊ UNTIE

◊ VACANT

136   Things You Can Peel

```
L E R O U Z Y S M A W Z L
L E P N S R E F S N A R T
W L V A L O V N N D X A J
N T E E R S Y O R A N G E
O S T H T G E O O A A K S
I K O T S S A T S U M A B
N I R E F G A O T A M O T
O N R S E T G A Z I Q S K
L N A R O M C E M L H A B
E A C P E R O K L R R D L
N L C J I R U V I E Z S I
V W P E G Y R M F A P F Y
G A L P D E P L F N P A T
A N A N A B Z B D E M V T
E G O L D L E A F A Q S C
```

◊ APPLE   ◊ GRAPE   ◊ SKIN

◊ BANANA   ◊ ONION   ◊ TAPE

◊ CARROT   ◊ ORANGE   ◊ TOMATO

◊ DECAL   ◊ POTATO   ◊ TRANSFERS

◊ EGGSHELL   ◊ SATSUMA   ◊ WAX

◊ GOLD LEAF   ◊ SHRIMP   ◊ YAM

Nocturnal Creatures

```
W E Q L I K F E E J Y A S
E U I D W A R F L E M U R
R A O B D L I W P K O W K
H E O E S F Z U M T L O R
S S T A N E M S T O A T E
N L E O P A R D D L L L G
O G N I D B A O A H C E D
M T Z K A P R R T F Q C A
M P T U Q M W O D J W E B
O T T A O Z O B W V S N Q
C N U U R T T M E N A G I
E R S R T S B I W A R R Q
P E G E R B I L G U V A K
N L R M L D L E Z E G E T
B V L N O S Y H R U R A R
```

◊ AARDVARK   ◊ DORMOUSE   ◊ OTTER

◊ BADGER   ◊ DWARF   ◊ PUMA
                 LEMUR

◊ BEAVER   ◊ STOAT
               ◊ GERBIL

◊ BROWN RAT   ◊ TARSIER
               ◊ KOALA

◊ COMMON   ◊ TIGER
  SHREW   ◊ LEOPARD

                              ◊ WILD BOAR

◊ DINGO   ◊ MOLE

138   **Indian Restaurant**

```
J F I M I Y I F A A Y Y L
Q Z P T E I X A M E A A L
R I L S A M B E R S L H A
M A S S A L A S O E S I M
B M Q T A A A M K O G N B
N A U O T G A I J H F A S
P U I R S S P N B O T Y H
U C T T G A A A O I S R A
O H P C D H R L N C A I S
S A V A G O A D R I C B H
L P D O R G P K A W R P L
A A R P A A M I B M H D I
A T R S I E T K A A T H K
D I N Z T Q Z H L Z R E A
V S R O A L D L A E A I F
```

◊ BALTI

◊ BIRYANI

◊ CHAPATI

◊ DAAL SOUP

◊ DOPIAZA

◊ KORMA

◊ LAMB SHASHLIK

◊ MADRAS

◊ MASSALA

◊ MURGH AKBARI

◊ PARATHA

◊ PHALL

◊ RAITA

◊ ROGHAN JOSH

◊ SAG ALOO

◊ SAG PANIR

◊ SAMBER

◊ SAMOSA

Canadian Lakes

```
L E W M G Q G T B O W N E
D K E H E T S L N O O L K
M O L S O N U G V T R T A
C T P T J L A N S S E A L
I O R R T A D I E A D E R
S Q I K E R L A T Y E M O
D W N Y A L E R I N L T D
N L C D I M O I A A V I S
A U E W H U I U N L T E A
L C S C T P L L O D L E R
S H S G B K E C U W E R B
I A M G A C N S Y K N E D
K C A L B R S N O E U F R
Q S R G G O R N E J I A K
D T Y A T H K Y E D H J K
```

◊ BLACK

◊ BRAS D'OR LAKE

◊ CEDAR

◊ GARRY

◊ ISLAND

◊ JOSEPH

◊ KAMILUKUAK

◊ KLUANE

◊ MOLSON

◊ OOTSA

◊ PRINCESS MARY

◊ REINDEER

◊ SELWYN

◊ TEHEK

◊ TROUT

◊ WHOLDAIA

◊ WILLISTON

◊ YATHKYED

140   **Eat Up**

```
E  P  N  Q  F  E  A  M  V  Z  J  T  K
R  V  M  A  L  Q  V  G  O  R  G  E  S
A  T  D  O  Y  E  D  J  G  Q  T  C  O
F  N  L  L  H  R  Q  N  A  A  P  R  O
M  A  S  T  I  C  A  T  E  C  G  U  O
P  P  K  T  W  W  T  P  O  E  L  N  Q
A  I  E  R  U  M  I  N  R  L  B  C  D
R  H  P  G  A  F  S  S  B  B  R  H  I
P  A  O  K  N  U  F  E  O  B  O  P  J
E  A  A  T  M  I  L  A  E  I  D  W  R
I  M  R  E  K  B  B  W  F  N  M  O  F
P  U  I  T  B  C  Q  E  E  K  I  E  A
O  N  L  O  A  Q  I  Q  A  H  E  D  G
V  C  G  E  S  K  V  P  S  D  C  X  Y
L  H  S  N  J  L  E  Y  T  X  A  P  V
```

◊ BINGE   ◊ FARE   ◊ MASTICATE

◊ CHEW   ◊ FEAST   ◊ MUNCH

◊ CHOMP   ◊ FEED   ◊ NIBBLE

◊ CONSUME   ◊ GNAW   ◊ PARTAKE

◊ CRUNCH   ◊ GOBBLE   ◊ PICK

◊ DINE   ◊ GORGE   ◊ STUFF

"W" Words

```
O W O Y R O Z E W M C W W
W L Y W L G T A S T W E P
B E B R M G N W G O A P E
W O M E N D N I D E H K A
E I R S E O L I L W P W Y
P W E R U R P R L E T R J
W R I W S E E A D L E R M
B N H T R V I R E T I H A
G X C O E I B L A W S W W
E E I O P A H W T W R N G
W W H E P W W S F D N E I
L W W L A O P A L N W D W
S I I K R M E W G E R R O
W W E M W O U N D E W A W
W A S H I N G T O N R W D
```

◊ WAGER   ◊ WEAPONRY   ◊ WIGWAM

◊ WAIVER   ◊ WELSH   ◊ WILLINGLY

◊ WANDERING   ◊ WHEELING   ◊ WOMEN

◊ WARDEN   ◊ WHICH   ◊ WORMS

◊ WASHINGTON   ◊ WHOEVER   ◊ WOUND

◊ WATERY   ◊ WHOSE   ◊ WRAPPER

142   Double "M"

```
L  J  A  M  M  U  M  Y  N  G  M  G  L
E  S  I  T  R  M  W  D  N  G  M  D  A
O  T  I  M  M  U  N  O  L  O  G  Y  M
G  A  A  R  T  D  M  M  H  F  M  M  D
E  M  A  R  U  M  U  S  T  A  E  C  T
T  M  M  C  O  M  I  M  O  M  H  N  Q
A  E  D  C  C  M  M  D  M  U  I  M  A
L  R  N  J  M  O  E  Y  M  Y  E  F  M
U  U  Q  E  E  A  M  M  A  M  M  A  L
C  L  R  S  S  M  Y  M  M  N  M  I  P
A  K  M  U  R  M  M  O  O  O  S  E  D
M  N  A  M  M  A  I  Y  J  D  C  A  F
M  O  N  M  T  G  L  A  M  M  A  S  W
I  M  M  I  M  R  I  Y  M  M  U  T  R
A  U  D  T  M  E  I  R  P  M  A  D  E
```

◊ ACCOMMO-
 DATE

◊ AMMAN

◊ CHUMMY

◊ COMMEMOR-
 ATE

◊ DUMMY

◊ GAMMA

◊ IMMACULATE

◊ IMMUNOLOGY

◊ JEMMY

◊ LAMMAS

◊ MAMMAL

◊ MAMMOTH

◊ RUMMY

◊ SIMMER

◊ STAMMER

◊ SUMMIT

◊ TUMMY

◊ UNCOMMON

Watches

```
R U A L V A E I X U G N P
C E E Y T I S S A T X O S
E E T A S P R I N G C R V
N Y B A T T E R Y K D N P
O G H E W R E V E L I C L
T X B O F R Y T A Y G I E
E Z K R U J E C W U I T D
L F X K E R Q D R X T E U
E R E T N U H V N K A N J
K W O F A D I A L U L I O
S D I R K P V R N N G K L
Q H T F A B W I N D E R E
A Z A R I N G W A T C H Q
M C T Z S R W E P O Q U G
E S J P E N D A N T O I D
```

◊ BATTERY   ◊ HUNTER   ◊ RING WATCH

◊ DIAL   ◊ KINETIC   ◊ SKELETON

◊ DIGITAL   ◊ LEVER   ◊ SPRING

◊ FACE   ◊ PENDANT   ◊ STRAP

◊ FOB   ◊ POCKET   ◊ UNDERWATER

◊ HOUR HAND   ◊ QUARTZ   ◊ WINDER

Slumber Party

```
Y S N M S T U P M U S I C
A N I D W T D M K V W G H
L T B E X R O U X G E N A
L F F F I O E R V S U I T
P M L N R E D I I E A K T
H S K D S I L A D E T A I
S S E U A A E A K Q S W N
U B M S U R Z N G F D J G
R E E U I Z E N D F N U L
B K K N I O I S K S Y J O
H O C P D T N M A K E U P
T L A F S P K L K A D O I
O L K A M I D N I G H T M
O S E M A G E J Q Q V Q W
T F S P I L L O W S J C U
```

◊ BEDROOM   ◊ FEASTING   ◊ NOISES

◊ CAKES   ◊ FRIENDS   ◊ PILLOWS

◊ CHATTING   ◊ GAMES   ◊ PIZZA

◊ DARES   ◊ MAKEUP   ◊ STORIES

◊ DRINKS   ◊ MIDNIGHT   ◊ TOOTHBRUSH

◊ DUVET   ◊ MUSIC   ◊ WAKING

```
H Z E N B X J T A N X E T
C D X R R X E E N I G D B
O E C E O P R A U Y E L E
B T E T A D R F P J U J L
T I L S B A U T B R E I A
R N E A R L A Q I L E T V
T U V E O I B A Z N N F I
L I A Y R R D U C I M A
Z E R S V N A R S N L V I
E N I Q A H B S N A R A R
D W G L I L N A T L E D E
X S E T A R I M E E B U B
B C E Y R R W A X E R R I
I R O L I E T T E G I A D
I R L A I R I N D I A G Z
```

◊ AER ARANN

◊ AIR BERLIN

◊ AIR INDIA

◊ BELAVIA

◊ DELTA

◊ EASTERN

◊ EGYPT AIR

◊ EMIRATES

◊ ETIHAD

◊ EUJET

◊ EXCEL

◊ FINNAIR

◊ GARUDA

◊ IBERIA

◊ ICELANDAIR

◊ ROYAL
  BRUNEI

◊ UNITED

◊ VARIG

Winter

```
A S Y P P I N H Y H Y S A
K L D O E G T D A R T H W
M A T L J D N T L A S E O
V O E P O B S F V O U E Y
E C N L N C O M Q E G T M
S D N Y B S E L A G S S L
D M I T F I E E I K A K K
P H N S B M C L I I Z P Y
P I E O E B L I Z Z A R D
C K E R D R N W C V S R K
S O T F J G I R C L N N O
C L U O G E R F N V E K P
A A U G N I T A K S E D K
R Z T R H T U O I X Z H F
F Y F M E B L V T E E L S
```

◊ BLEAK   ◊ FROSTY   ◊ NIPPY

◊ BLIZZARD   ◊ GALES   ◊ SCARF

◊ COALS   ◊ GUSTY   ◊ SKATING

◊ COLDS   ◊ HATS   ◊ SKIING

◊ COUGH   ◊ ICICLE   ◊ SLEET

◊ FIRESIDE   ◊ LOGS   ◊ SNEEZE

Soccer Match

```
A O Z P R U F B E E M A G
D R A C W O L L E Y J M Y
F E N J V I O S C T S A S
F R U T E S N X N T W E I
W O N T I B S N O A N L E
A N T N T D W C I D F C J
R A G R R H S O O N R N P
D E L K C A T F K O G R L
J N H I M E F N Z Q O P A
D I R E C T O R S M U A Y
E I B M H O W P O S N X E
H E R C L O S T I Y X Y R
G O N G O L I J O T V S S
X E M Y J O E P A T C H Y
B H I E N C S G A L F H S
```

◊ AWAY

◊ BENCH

◊ DIRECTORS

◊ DRAW

◊ FANS

◊ FLAGS

◊ GAME

◊ HOME

◊ LOSING

◊ MASCOTS

◊ PITCH

◊ PLAYERS

◊ PROMOTION

◊ SEND OFF

◊ TACKLE

◊ TURF

◊ WINNING

◊ YELLOW CARD

148   Airports of the World

```
S B Q D D A S M T O D H K
L O Z E I R P C I H U S N
N I S L C M A Z A M L U A
A B A I D R A U G A L O B
H T G V Y G N I J I E B R
O A I S I Q K V M B S E U
N A N R U R O P M I G T B
G A C N A T T R B N E A Q
K D H W I N O E A C Y N D
O E E I D J S V R J L I B
N N O N G D A N A O E L C
G A N G E T P E J L Z E U
L H S E S J E D A O M G Z
Z E G N A G O L S U X N X
E P R I N C E G E O R G E
```

◊ BARAJAS   ◊ HANEDA   ◊ LOGAN

◊ BEIJING   ◊ HONG KONG   ◊ MIAMI

◊ BURBANK   ◊ INCHEON   ◊ NARITA

◊ DENVER   ◊ JINNAH   ◊ NEWARK

◊ DULLES   ◊ LA GUARDIA   ◊ PRINCE
                                                      GEORGE

◊ GIMPO   ◊ LINATE

                                                        ◊ STAVANGER

Carnival

```
T  C  E  D  W  R  E  V  E  L  R  Y  P
D  R  U  M  S  Z  I  J  J  W  D  Z  F
S  M  D  G  E  S  Q  A  S  G  V  E  Z
M  T  A  Q  S  Z  S  D  F  S  V  S  D
Q  L  A  J  B  A  L  K  M  A  E  T  S
F  J  T  B  O  A  Z  A  T  L  A  D  E
F  U  O  A  O  R  E  S  C  K  R  E  S
S  D  G  G  S  R  E  Y  V  A  N  D  R
K  G  K  R  C  I  C  T  W  T  N  C  O
C  E  M  E  F  R  S  A  T  A  Y  I  H
U  S  C  S  O  L  E  D  B  E  R  S  M
R  I  H  T  A  T  E  E  R  T  S  U  B
T  K  O  Y  E  C  I  L  O  P  F  M  C
A  M  W  V  Y  H  D  L  C  H  E  M  F
T  G  N  I  H  C  R  A  M  O  Y  Q  E
```

◊ ACROBATS

◊ AWARDS

◊ BANDS

◊ DRUMS

◊ FAIR

◊ FIESTA

◊ FLAGS

◊ HORSES

◊ ICE CREAMS

◊ JUDGES

◊ MAJORETTES

◊ MARCHING

◊ MOTOR-
   CYCLES

◊ MUSIC

◊ POLICE

◊ REVELRY

◊ STREET

◊ TRUCKS

"... LINE"

```
E L T H A T E I C P S H Y
T G L E D G E R L E E M E
A N P G D O T T E D A H L
D I F Z R O O S N S I O S
P H P E H S K A O N J O I
J S I Y X Z E N D H H G E
H I T A G B D E Q V N C G
L N R S O I N S S I I Q F
K I E T X B B E V H T L R
X F T O U P T I K K H J I
Z O N R O I E W F O P M E
M V G Y S C U O J O R G D
L M E A E P A N I M Y B X
O D E R N E I S S E C E P
L T O N I G A M H O L I E
```

◊ BOTTOM

◊ BROKEN

◊ DATE

◊ DOTTED

◊ FINISHING

◊ HINDENBURG

◊ HOT

◊ LEDGER

◊ LEY

◊ MAGINOT

◊ MASON-
DIXON

◊ ODER-NEISSE

◊ PIPE

◊ RECEIVING

◊ SIEGFRIED

◊ SNOW

◊ STORY

◊ TAG

Drinks

```
L L N J E E S D L M E N M
Q S A O C O C P Y S U Y H
Z D P W H C N U P J V R R
Y B P P I K D L R O N P V
T Y O D A T W N E A E D Y
M C A U E N I W L U C R T
P E A L R R H H V X N A O
M G F M O B L C R X A M O
C E E Z P I O T S C R B T
B A U W Q A S N O O S U N
E O N U Z S R V Z H J I R
E L E G T A D I D U M E B
R U A O O A G W L I G N D
R Q T D P C R E L A C K L
A K L M D C P K L N L N C
```

◊ ADVOCAAT   ◊ CURACAO   ◊ MILK

◊ BEER   ◊ DRAMBUIE   ◊ OUZO

◊ BOURBON   ◊ JULEP   ◊ PUNCH

◊ CAMPARI   ◊ LAGER   ◊ RUM

◊ COCOA   ◊ LIQUEUR   ◊ SCHNAPPS

◊ COGNAC   ◊ MEAD   ◊ WINE

Teddy Bear

```
B  T  D  Y  B  I  S  C  A  R  F  E  N
E  T  R  T  R  E  P  U  R  V  T  J  O
S  H  A  I  G  S  A  E  S  U  N  D  T
T  T  Q  Y  B  T  E  D  C  G  C  E  T
F  N  E  L  R  B  G  Y  Y  P  N  P  U
R  H  Q  I  N  E  O  C  T  E  I  S  B
I  P  U  E  F  I  L  N  Z  T  Y  F  B
E  Y  E  G  Y  F  E  W  I  T  T  E  Z
N  Q  I  P  G  I  S  O  O  T  Y  M  S
D  R  A  A  M  I  Q  V  N  R  O  E  S
N  W  N  K  G  U  N  D  D  T  G  L  L
S  G  I  F  L  O  A  G  H  S  U  L  P
T  S  U  C  M  N  S  C  W  L  Z  E  S
A  N  R  V  V  O  I  E  U  O  T  N  F
J  R  B  L  M  M  B  A  R  N  A  B  Y
```

◊ BARNABY   ◊ GROWLER   ◊ RIBBON

◊ BEADY EYES   ◊ GUND   ◊ RUPERT

◊ BEST FRIEND   ◊ HUGGING   ◊ SCARF

◊ BRUIN   ◊ MICHTOM   ◊ SOOTY

◊ BUTTON   ◊ PAWS   ◊ STEIFF

◊ CUTE   ◊ PLUSH   ◊ TY INC

Water

```
K C A T A R A C T E C N T
K U E A O X D L Y E A L X
A B D R A A C A L H N R T
F N O I T A R O P A V E E
Z R I N C P H R W I L S G
T Y U R S E E E D D Y T Y
B T E S R F N I G V N U W
L I D O G I U E N H R A H
L V B S N Q G N R R X R I
E H F P I E H A T E E Y R
W C D L W A S T T V T P L
S T H A O W A O I I E S P
O I I S L O W R H S O N O
J D N H F H D E H V G N O
T I O O A O X A P J C A L
```

◊ BOREHOLE

◊ CATARACT

◊ DITCH

◊ EDDY

◊ ESTUARY

◊ EVAPORATION

◊ FLOOD

◊ FLOWING

◊ HOSE

◊ IRRIGATION

◊ LIQUID

◊ RIVER

◊ SPLASH

◊ SPRAY

◊ SURF

◊ SWELL

◊ WASH

◊ WHIRLPOOL

Magic

```
F O U S L L E P S U D N S
I R T E S Y T M Z A R S V
G N T R J W R N Q D T A E
O D I S A P P E A R I N G
S D L D E O R F K Y J W A
U O L S U P G E D C L L T
N K T M M O A L G W I U S
Y I M C R L H C L A A R B
P M L R F A H K A T M N T
O E I R E S H W S E A Y D
W I S S E D N C S R Z W O
E T H R V M N S N T E P F
R O J S U O R O M A L G E
W X R L O C K S W N V R O
I C U S T M S D J K P N O
```

◊ AMAZE

◊ CAPE

◊ CHARM

◊ CURSE

◊ DIS-
APPEARING

◊ GLAMOROUS

◊ GLASS

◊ HOUDINI

◊ LOCKS

◊ MERLIN

◊ POWER

◊ SHOW

◊ SPELLS

◊ STAGE

◊ TRICKERY

◊ WAND

◊ WATER TANK

◊ WONDER

Knitting

```
Z P V D S C H U N K Y R R
O O C R K A D S I C V S P
M L A N C S N J S S E O S
W Y B B O H X T Q H T E T
A E R Y S M P U W K Z P U
I S S U T E A D N I A E R
S T S W O R P A S T S F T
T E O I E E T O C L L T L
C R O S Z L I H C D A Q E
O E M W Y A W V E K D U N
A R L P S O T Z I P E C E
T O W P R E L U I W O T C
P T A K U X I C T Q W S K
I A H L E R O C F W O O L
Q S S E B T L E L Y X E T
```

◊ CASHMERE ◊ POLYESTER ◊ SQUARES

◊ CHUNKY ◊ PURL ◊ TANK TOP

◊ HOBBY ◊ ROWS ◊ TURTLENECK

◊ PATCHWORK ◊ SHAWL ◊ TWIST

◊ PICOT ◊ SIZES ◊ WAISTCOAT

◊ POCKET ◊ SOCKS ◊ WOOL

Liquids

```
H H V E D R G M O L H N T
T R E O I K K U I C E E N
O J O M B E E R N L A D X
R L I Q U O R U G R K T R
B S Q O G D P E D E X J W
N L P Q T Z T R E D U G A
R P I H B K O E Y I N R T
S E V S C P T M C C I A E
A P D I O U N E P P F V R
L M E N N T O C V I F Y O
I D B R K E O O P M A H S
V A R A F T G U E O R F L
A F I V S U O A M H A O L
R Q N D V C M A R K P F M
P F E O J R N E O E O I O
```

◊ BEER

◊ BLOOD

◊ BRINE

◊ BROTH

◊ CIDER

◊ GRAVY

◊ JUICE

◊ LIQUOR

◊ MILK

◊ PARAFFIN

◊ PERFUME

◊ PUNCH

◊ SALIVA

◊ SHAMPOO

◊ TEARDROP

◊ VARNISH

◊ VINEGAR

◊ WATER

Phonetic Alphabet

```
X P O B V S R M S A Q E H
N L O G I Q R F T D Q L Y
L C I Z N O L L O E M O R
T A P A F A E O A P T K U
M J N I A D T G Z K F H E
P Q N P W I M U I L O P Z
K U E A H I D L K U X D N
I S X P I K O N L E T O H
C P B A S F Q S I E R R A
X H R I K H U R C S O B T
L D A B E E L O P A T O E
A L V R Y C T P D H R E Y
P I O Z L Z H T G D L B C
I X R A Y I W O O B D F S
U L U Z M U E A Y J D I U
```

◊ BRAVO   ◊ HOTEL   ◊ SIERRA

◊ CHARLIE   ◊ INDIA   ◊ TANGO

◊ DELTA   ◊ KILO   ◊ UNIFORM

◊ ECHO   ◊ OSCAR   ◊ WHISKEY

◊ FOXTROT   ◊ PAPA   ◊ X-RAY

◊ GOLF   ◊ ROMEO   ◊ ZULU

158   Ironing

```
K I I O R S U E N N T N T
S D E T A E H R E E Y P R
M F B U E H O U E N P I A
O R F U R T N S I I D L T
O R B U F O U S O L A O H
T E U R C L E E X T L T T
H T Y T I C I R T C E L E
I A C W O Y S P D F G I L
N W T T A P E V B A R G R
G S T D R Q S Z N A A H N
X O A U Y S A B Z O L T L
N E A Z T F E R P E L O J
E C L A F A R A D S O Y W
E T N F G X C P M W C T N
T D Y U H C R O C S I N N
```

◊ CLOTHES   ◊ FLEX   ◊ SCORCH

◊ COLLAR   ◊ HEATED   ◊ SEAMS

◊ COTTON   ◊ LINEN   ◊ SMOOTHING

◊ CREASES   ◊ NYLON   ◊ STAND

◊ CUFFS   ◊ PILOT LIGHT   ◊ WATER

◊ ELECTRICITY   ◊ PRESSURE   ◊ WOOL

Bodies of Water

```
Y D O N B Y A B K L A P U
A T Y G T E L L W V Z J A
B R N L S Z A H T R T E K
N H W D R E I E A T S N H
O N E Z B T A E S A R A K
S R D R E Y J O C L E A A
D B D S A U A C F S A E V
U L E I U I U B O A S R K
H A L H F L R R L H Z D A
Y C L W O T O I T E D O A
O K S M R K M R S J I R V
S S E A T H O L B H I K H
I E A D S N B A S S S E A
G A O C E L E B E S S E A
A E S N A M S A T I S Y A
```

◊ ARAL SEA

◊ BASS SEA

◊ BEAUFORT
  SEA

◊ BLACK SEA

◊ CELEBES SEA

◊ HUDSON BAY

◊ IRISH SEA

◊ KARA SEA

◊ KIEL BAY

◊ KORO SEA

◊ MOLUCCA
  SEA

◊ NORTH SEA

◊ PALK BAY

◊ RED SEA

◊ SEA OF AZOV

◊ TASMAN SEA

◊ WEDDELL
  SEA

◊ WHITE SEA

Jesus

```
E  L  I  S  Z  D  B  L  R  L  U  K  E
T  S  T  E  L  Y  Q  L  Y  B  L  A  K
L  U  N  O  H  R  P  R  O  P  H  E  T
J  S  G  E  S  A  R  H  L  H  M  E  I
F  D  R  I  C  M  S  L  D  I  W  T  S
U  O  M  S  G  N  J  I  L  L  R  P  E
D  O  L  C  H  A  I  G  E  I  Q  F  L
N  E  L  P  M  E  T  K  W  P  E  U  P
C  I  S  E  I  R  P  O  N  T  Q  A  I
E  F  S  M  Y  R  R  H  A  A  R  S  C
E  A  O  Z  L  O  D  T  E  A  R  Z  S
R  J  S  E  R  M  O  N  B  R  Q  F  I
L  F  G  E  A  V  N  L  N  Z  D  B  D
B  N  T  D  O  D  E  L  Z  R  O  S  A
A  A  R  R  E  S  T  C  H  R  I  S  T
```

◊ ANGEL

◊ ARREST

◊ CHRIST

◊ DISCIPLES

◊ FRANKIN-
  CENSE

◊ GOLD

◊ HEROD

◊ JAMES

◊ LUKE

◊ MARY

◊ MYRRH

◊ PARABLES

◊ PHILIP

◊ PROPHET

◊ SERMON

◊ SHEPHERDS

◊ SIMON

◊ TEMPLE

Mission

```
N L H T E O R H D B S A L
N O U K S A T W I L O H W
N Y I O M C H A R G E J D
P T T S O R T I E J T P I
U U A S S J N N E X R I A
R D R D E I F O R C E K R
S E G T N U M I V V N Y S
U I E A F A Q M S I B T R
I V T T T V R W O C H B E
T R E D A S U R C C P R R
C R A I S O N D E T R E M
I T N X A P H T W G O A L
A A U P Z E L A S O J F J
E I C A L Y L C T N R H O
P F M N O I T A G E L K R
```

◊ AIM

◊ CHARGE

◊ COMMISSION

◊ CRUSADE

◊ DUTY

◊ ERRAND

◊ FORCE

◊ GOAL

◊ JOB

◊ LEGATION

◊ PURSUIT

◊ QUEST

◊ RAID

◊ RAISON D'ETRE

◊ SORTIE

◊ TARGET

◊ TASK

◊ WORK

162 Taxation

```
U F I L C R O O W Y D N M
S F S D E I I B N J A B R
A I E X E U N Y T V G E C
N R G L A B X T T N S E Q
O A A H E T E P E U J X E
I T W N E N P R D C N
T B E O G I O T E G E I W
P I R D D G V I A F H S C
M D X F N L G D S T I E T
E N N I U I O U Z N S T W
X U L L F Z K A G Y E T S
E I I T E I C L D N Y P M
F U S E R R E V E N U E R
G N I D L O H H T I W T O
P G G A O O C L V K T J F
```

◊ AUDIT   ◊ FILING   ◊ REVENUE

◊ BENEFITS   ◊ FORMS   ◊ SINGLE

◊ CHECK   ◊ GIFTS   ◊ STATE TAX

◊ DUTY   ◊ INTEREST   ◊ TARIFF

◊ EXCISE   ◊ PENSION   ◊ WAGES

◊ EXEMPTION   ◊ REFUND   ◊ WITHHOLDING

Starting "OUT"

```
O O O O U T L A N D I S H
U Z O U T P U T N T U O H
T T I F T U O U O T U O D
S S O K O S O U T T A K E
T O T O O B T A D Y T U P
E U O U T U R A E W T U O
K T V U O U T S T R I P Z
S S O S T E O B I I E L O
A T U O D W K U O R O X U
B A T K U N I T T A O N T
T N R J T T Y T U O R L S
U D U T S A C T U O D D O
O I N O U T H O U S E Y L
P N O U T O U T M O O L D
M G A O U T A D J E T U O
```

◊ OUT-BASKET

◊ OUTBOARD

◊ OUTBOUND

◊ OUTCAST

◊ OUTCOME

◊ OUTDATED

◊ OUTFIT

◊ OUTHOUSE

◊ OUTLANDISH

◊ OUTPUT

◊ OUTRUN

◊ OUTSOLD

◊ OUT-STANDING

◊ OUTSTATION

◊ OUTSTRIP

◊ OUT-TAKE

◊ OUTWEAR

◊ OUTWIT

At the Casino

```
U E U R K K E E E O L M D
B T A C E O C C A R D S I
E D A G D D N I G N T D Z
E D I R J D I D E Y C N T
C A X N A S R E N K N D G
R K B L A C K J A C K L N
O F V R A B C R I E T T I
U A T M O S D A G D O A N
P A C H H A R U B Z P E N
I N S O E A O L E Z K L I
E E E E T R L R V N C F P
R X Y T S O O Q Z O A F S
P O K E R S Q F H I J U H
O Z F L T O O Z T R U H E
D D D E T T E L U O R S D
```

◊ BACCARAT

◊ BLACKJACK

◊ CARDS

◊ CROUPIER

◊ DECK

◊ DICE

◊ JACKPOT

◊ LOSSES

◊ NOIR

◊ ODDS

◊ POKER

◊ ROLL

◊ ROUGE

◊ ROULETTE

◊ SHOE

◊ SHUFFLE

◊ SPINNING

◊ ZERO

Opposites

```
D  Z  E  M  R  E  D  L  O  W  M  E  E
M  X  G  L  A  T  L  T  H  G  I  R  B
D  Z  N  T  W  S  N  J  Z  S  O  O  G
D  I  I  E  S  T  C  K  E  F  D  N  E
L  E  V  B  L  A  F  U  E  Z  I  N  A
A  L  I  I  O  R  E  B  L  V  T  F  S
C  S  E  S  D  T  M  Z  I  I  T  S  T
I  R  C  N  S  E  I  G  E  E  N  F  N
T  E  E  O  X  R  N  D  R  P  I  E  A
R  G  R  K  R  E  I  V  U  N  A  M  T
E  N  S  S  A  T  N  L  I  D  I  O  S
V  U  L  R  R  S  E  S  C  Z  A  I  I
D  O  B  O  Q  A  H  P  K  I  L  R  D
J  Y  L  A  T  N  O  Z  I  R  O  H  K
Y  L  P  I  T  L  U  M  O  R  S  E  I
```

◊ AFTER   ◊ DIVIDE   ◊ GIVING

◊ BEFORE   ◊ MULTIPLY   ◊ RECEIVING

◊ BRIGHT   ◊ FEMININE   ◊ HORIZONTAL

◊ DARK   ◊ MASCULINE   ◊ VERTICAL

◊ DISTANT   ◊ FINISH   ◊ OLDER

◊ NEARBY   ◊ START   ◊ YOUNGER

"GRAND ..."

```
L A N A C L G G Y P R I X
J R E S R D U S R U O T D
L O Q J E I I U U C O M S
J T F U I R G N J G I O P
J I Q P N D N D E N L T H
L S E Z R C O S L A M H D
R I R I A O L J S T Z E L
S U H L M N W E U O N R T
C Q P B W D Z K H T R C V
W N R I A E N C I A E C N
M I E C A L H R T L X I L
D R H O J N L P S N E S Z
R E T E D J O U E C O I N
W I A U A L U O E N Y Y O
N D F Z Q D J Y S Y F I D
```

◊ CANAL   ◊ JURY   ◊ PRIX

◊ CROSS   ◊ MARNIER   ◊ SLAM

◊ FATHER   ◊ MOTHER   ◊ SONS

◊ FIR   ◊ NEPHEW   ◊ TOTAL

◊ GUIGNOL   ◊ NIECE   ◊ TOURS

◊ INQUISITOR   ◊ PIANO   ◊ UNCLE

Cell Phone

```
A U K O O B S S E R D D A
R G K D M E S S A G I N G
O E N B L V S L Q L M A A
A L T I D A A H X B V T K
M O B Y G R N O A I R S R
I G R R M G U G B S M E O
N I J O A R O R I K S H W
G E E M B N A L A S A S T
J N E E C T T E L N A R E
E S S M O E P E D L A K N
C N V R S F I S N M A I Q
N G N R F K F C S N L C D
P U P O T R I Q J Q A W N
T G N N E R I N G T O N E
S J K E F O H J S F D T D
```

◊ ADDRESS BOOK

◊ ALARM

◊ ANTENNA

◊ CALL LOGGING

◊ GAMES

◊ GPRS

◊ HANDS-FREE

◊ MEMORY

◊ MESSAGING

◊ NETWORK

◊ OFF-PEAK

◊ RINGTONE

◊ ROAMING

◊ SIGNAL

◊ SKINS

◊ SMART

◊ TOP-UP

◊ VIBRATOR

Roman Deities

```
M E E J Y Z A G V S T K L
D O I F J U N O U S I O N
P C R N O R L N E Q R Q O
R Z N S Y U E C E E S A V
O P E U P V U I A D Z L M
V S A T I R E V W A I S I
I U A D I A N A I Y A O T
D S L T S H V T N I T L H
E S A O L E N I D A E H R
N S A F S A F R B Y Y T A
T Q K T D L O D U M P N S
I U A N R C U Q E L J M O
A J U E N O I N U U S P A
R B Z O A Q M T A I M A C
A Z C P I T O Y A U N E T
```

◊ ABUNDANTIA   ◊ LUNA   ◊ PROVIDENTIA

◊ CONCORDIA   ◊ MARS   ◊ SECURITAS

◊ DIANA   ◊ MITHRAS   ◊ VENUS

◊ HYMEN   ◊ MORS   ◊ VERITAS

◊ INUUS   ◊ MORTA   ◊ VESTA

◊ JUNO   ◊ PLUTO   ◊ VOLUPTAS

Very Risky

```
E E D I L S D N A L F X A
X Y T I C I R T C E L E S
S M H R O C K S S S O T Q
W E O M R X A T T L O E U
O L S K E B D S E N D T A
R T H T Y B V V E Y E I L
D D R S E O T T P V D M L
S O S O L Y H F P E I A A
V W N C D R G R A I R N X
O N A O O A E S T N Y Y K
G N L W L C N B H Z O D B
O T I V A E N R Q D J N H
K N A N B R W U O A D O E
G E O P P S E V T T X F P
C O S E V I S O R R O C Z
```

◊ ABYSS

◊ BOY RACERS

◊ CORROSIVES

◊ DYNAMITE

◊ ELECTRICITY

◊ FLOOD

◊ JOYRIDE

◊ KNIVES

◊ LANDSLIDE

◊ MELTDOWN

◊ ROCKS

◊ SQUALL

◊ STEEP PATH

◊ STONE-
   THROWING

◊ SWORDS

◊ TORNADO

◊ VOLCANO

◊ VORTEX

"GOLD ..." and "GOLDEN ..."

```
J T D T M E U U A S T E R
F V V S W T Y R Q R E X H
S O H U E K A H S D N A H
N U S D H A P S X R U N T
E H O R N L P N R E M U E
C L S I B G Q I P C B M L
K T U I C N U O A E E A E
L L O R F I N C H E R H C
A M P G C L L E T L O P A
C P T I N L M E U F L D R
E P L Q T I N V D A R G B
X U T O L F N W E O O C H
Y P E A V M S A C O G M T
W J T A D E E E S D A A Y
V I D N A R R E G U R K H
```

◊ ASTER ◊ FINCH ◊ KRUGERRAND

◊ BRACELET ◊ FISH ◊ NECKLACE

◊ COINS ◊ FLEECE ◊ NUMBER

◊ DELICIOUS ◊ GOOSE ◊ PLOVER

◊ DUST ◊ HANDSHAKE ◊ RECORD

◊ FILLING ◊ INGOT ◊ RULE

Tennis

```
D A M M C E T R E N Q A A
E D B N O D V V C O T S E
E E E R D D O A N X R M Z
S L Q I E L O V U R A A T
M O A L M A W O O G P S I
Q T K W E O K S B C H H U
L S L K N L P T D H U J E
D D O A T T I E P I G D O
J F D H I P O N W P N P T
D A S P E Y P Z H A F S A
L F N T V H O U H G Q P B
R L P I A R H K S R A D L
D R A O F G C Z E I C R O
C M I B Y A G O R P E L C
X F B J B C S Y S Z S D K
```

◊ ACES   ◊ CHIP   ◊ LAWN

◊ BACKHAND   ◊ CHOP   ◊ LOVE

◊ BALL   ◊ DEMENTIEVA   ◊ NADAL

◊ BLOCK   ◊ GAME   ◊ SAFINA

◊ BOUNCE   ◊ GRIP   ◊ SEED

◊ BREAK   ◊ KUZNETSOVA   ◊ SMASH

172   Nobel Peace Prize Winners

```
D M O Z O O O O A C D A J
L X Y T R I M B L E Y J O
U O U X D C U T B C O U H
E A N N A N A Z V E U O N
D R U S C D A S S N S B S
K U S H A O D R W R A O O
P I E S E Y K A B H F A N
N H V X A L I J M Y Z I S
M B B I T K N R T S A X I
H A E G E O H E O S I U R
I O A G E R O A R D T I L
Y X N T I E D A R A B L E
U E M U H N I I B O B B A
U T U T F A E D C P V I F
X K L R F L I X U L U F N
```

◊ ADDAMS   ◊ ELBARADEI   ◊ SADAT

◊ ANNAN   ◊ HUME   ◊ SAKHAROV

◊ BEGIN   ◊ JOHNSON SIRLEAF   ◊ TRIMBLE

◊ BRANDT   ◊ LIU XIAOBO   ◊ TUTU

◊ BUNCHE   ◊ MAATHAI   ◊ YOUSAFZAI

◊ CASSIN   ◊ RABIN   ◊ YUNUS

Tunnels

```
N I W L Y I T I Q F L L D
A F N N T H F R E J U S W
S H O R T R O P M O S A L
A I G Q R R R S E C R A U
N G T O E D N M I D D A D
E O K V E I R L S U K O C
G K P R I G I H R H D H H
O N F Y L A U F A R A E E
J W A O R D T I Y N K Y X
J M N H E E E S N M N G R
A A D D I H X E L Z A A I
R C E A D A L I Y L A O V
T N R O V J T K T L Q O E
P M Z E I I W A O T Y Q R
I N O M N A K N I H S A A
```

◊ ARMI

◊ HANNA

◊ SCILIAR

◊ CHANNEL

◊ HEX RIVER

◊ SEIKAN

◊ ENASAN

◊ HIGO

◊ SHIN-KANMON

◊ FREJUS

◊ IIYAMA

◊ SOMPORT

◊ FRUDAL

◊ PFANDER

◊ TAIHANG

◊ GUINZA

◊ ROKKO

◊ WARD

Volcanic

```
S N D N F R I E M M E E L
S E A L K R A I M A L N S
E E A U E X N H T K E L M
G N S B S E K N A E F T Y
K F E A T B A A M L E G S
W L I L G M S A O U O V X
I D O R R H G X N L T E I
S M I O E M Y O O I R H R
R E D S A V I N U R E Q E
T J T V K T A D I C E S T
S N E A P C N S I C G R A
L N V U L O O M L R E A R
T A R U C P U R I U S T C
Y E V K X P T I V S E E A
S E D A O E U A A T S R A
```

◊ ASHES   ◊ FLANK   ◊ PLATES

◊ CONDUIT   ◊ GASES   ◊ PUMICE

◊ CRATER   ◊ LAHAR   ◊ ROCKS

◊ CRUST   ◊ LAVA   ◊ STEAM

◊ DORMANT   ◊ MAGMA   ◊ VENT

◊ ERUPTION   ◊ MOLTEN   ◊ VULCAN-
OLOGY

Catch

```
R S A W S N K U S E I Z E
R A L L O C W H H L Y K Z
E G H P L V C L G S X O G
V L R U A T E L Z E D Q L
O K T A I R B A F N U E X
M C K H B R T R O T G K O
H E E D Y J Q N O A G A N
E S I R P R U S E N R T I
N J U T X W E I E G R R T
M R E N S N A R E L S E J
E M E A O H H O U E O V G
S T T J O A L O K T K O R
H V V L A A W S T O P L I
I I D E U N M A S K O A P
A A G L A W I K Y F Y H C
```

◊ CAPTURE   ◊ ENTRAP   ◊ NET

◊ CLUTCH   ◊ GRAB   ◊ OVERTAKE

◊ COLLAR   ◊ GRIP   ◊ SEIZE

◊ ENMESH   ◊ HITCH   ◊ STOP

◊ ENSNARE   ◊ HOLD   ◊ SURPRISE

◊ ENTANGLE   ◊ HOOK   ◊ UNMASK

Foot

```
Q T N Z L Q B S T W S S A
A O R G P U C R E U E O R
F N L X G E G D L N W C C
T L K J T N T A T X O D L
S I R L U E T S O L E B M
I A H A E M X B N R E O W
D N P R Y I L R T I S S V
O E R N N I A L B L I H C
P O A N S S I T E U O E E
O T Q T E E I O H R R E K
R E E R I B Z E C S A L C
I R E L D S U S R A T B O
H A L L U X T N A I L S R
C I A L H O C X E Q R B N
J R N O D N E T N L J O C
```

◊ ANKLE   ◊ CHIROPODIST   ◊ SOLE

◊ ARCH   ◊ CORN   ◊ TALUS

◊ BARE   ◊ HALLUX   ◊ TARSUS

◊ BLISTER   ◊ HEEL   ◊ TENDON

◊ BONES   ◊ INSTEP   ◊ TOENAIL

◊ CHILBLAIN   ◊ NAILS   ◊ TOES

Different Tastes

```
K O T S P I C Y Y T T U N
D I R C A R H H Q L E B L
W R D D E E E M E L O F G
T R Y E T E E W S A E B N
N E G N I T S U G S I D O
C C N H L E Y R N T Y D R
I T A L U U A B T E C E T
T W T R S N R E N S I Q S
R M N V C Y R G H T H O T
U X P I I E M A N Z L N H
S B D I O Y R A G E N I V
F A V I U P U R E F C D I
H T C E S Q B F N R M P N
E S U O I T P M U R C S O
A B N P O J C O N E R Z R
```

◊ ACRID

◊ BITTER

◊ CHEESY

◊ CITRUS

◊ CREAMY

◊ DISGUSTING

◊ HOT

◊ LUSCIOUS

◊ NUTTY

◊ PIQUANT

◊ RANCID

◊ SCRUMP-
TIOUS

◊ SHARP

◊ SPICY

◊ STRONG

◊ SWEET

◊ TANGY

◊ VINEGARY

178   Found

```
G Y D E N I A T R E C S A
B M K T Q D E V R E S B O
D E T C E T E D M X C E T
C H A N C E D C U N O S W
D E K L A L H A A H N A L
S E Z D V A A O P R S P V
I G R O U N D D U S T U N
Y Q D E N S E D T D I D Y
L R L H T N T G E F T E U
S C N I I N O L S E U N N
Z G A A M T U P W L T I E
T H G M H R Y O L T E L A
J E G O E H Q I C A L K R
R E L V A U V L A N N W T
B D C P B S P S J J E T H
```

◊ ASCERTAINED   ◊ FELT   ◊ REGAINED

◊ CAME UP   ◊ GOT HOLD   ◊ RULED

◊ CHANCED   ◊ GROUND   ◊ SAW

◊ CONSTITUTE   ◊ LINED UP   ◊ SET UP

◊ DETECTED   ◊ OBSERVED   ◊ TRACED

◊ ENCOUN-
TERED   ◊ PLANT   ◊ UNEARTH

```
R R E S A E T N I A R B S
D E T S A L E L N C D L T
L Q D U S K A K U R O O O
C I Y D S M A K E O E N D
M C P O A P U T I S R I O
T A L K S L A S J T A M T
I I R U D R D C Y I I O T
D K M G E N V R H C B D O
E E I T O S S A O T T E D
A S L H L T U K I W Z W Z
D F E I S A P E N C I L I
L I W N T O U Y B I U O U
Q F S K Y N T S R Y L N Q
A A H T J L N U I C N J D
R E B M U N C K F V N L Q
```

◊ ACROSTIC

◊ BRAIN-
TEASER

◊ CLUES

◊ CRYPTOGRAM

◊ DOMINO

◊ DOT-TO-DOT

◊ FUTOSHIKI

◊ KAKURO

◊ LINKS

◊ NUMBER

◊ PENCIL

◊ QUIZ

◊ SUDOKU

◊ SUMS

◊ THINK

◊ TILED

◊ VISUAL

◊ WORD-
LADDER

180   *Snow White*

```
F E V T B E U T B B H S I
S S I K L I U R O M S R N
B N A P C G P U O O W A I
X I P E G A T T O C M Y A
N A I S H N D L L E P S N
F R B N I A I W Z P C S B
S E E S O M S N A M P L E
W E G D Q S A H N R B C A
R L C D U T I I T A F D U
O T D I U N B O S V T T T
D S M S B U G H P U S L I
O A Q N B H F E T F E E F
P C I E R U A K O V V E U
E C O Y L N T E N N E F L
Y A U D M I R R O R N Z O
```

◊ APPLE   ◊ DISNEY   ◊ HUNTSMAN

◊ BASHFUL   ◊ DOC   ◊ KISS

◊ BEAUTIFUL   ◊ DOPEY   ◊ MIRROR

◊ CASTLE   ◊ DUNGEON   ◊ POISON

◊ COMB   ◊ DWARF   ◊ SEVEN

◊ COTTAGE   ◊ HAPPY   ◊ SPELL

Herb Garden

```
P E M I L K T H I S T L E
H T U R T S Q Y N E O H W
E N Q R Q N O G A R R A T
P I I B R E P A C C K K A
E M J O O G E T A I E E G
N R O Z P R G R P E A S M
N A M K H G A D R D D I L
Y E T W T W S G R L I N A
R P R D A E U S E D O A B
O S A Y V N R W O L E A N
Y P S I E D W U M R S D O
A M H F G P F E A I R E M
L C A T A E D E L S R E E
O E U C E C H I C O R Y L
S S V G E L I M O M A C K
```

◊ ANISE   ◊ CHICORY   ◊ PENNYROYAL

◊ BASIL   ◊ CHIVES   ◊ RUE

◊ BORAGE   ◊ FENUGREEK   ◊ SAGE

◊ CAMOMILE   ◊ LEMON BALM   ◊ SORREL

◊ CAPER   ◊ MACE   ◊ SPEARMINT

◊ CARAWAY   ◊ MILK THISTLE   ◊ TARRAGON

The Nobility

```
L K D H S S E T N U O C A
N T U J T I C D R I A L G
W R K O A H U H A U O Q X
O Y E S T N E Q V S L K A
R M A J E S T Y R N N E O
C L L D L K S O O A I N R
O P M S Y Y S I R W M B N
B R E L I N T E C N I R P
B A G R A A A X Y H T N H
I D R P N E L S O E H Q T
S M Z O E O R J T E A R L
A W R Y N B B B C Y R J A
H O E L T I T L L O W L E
C Z T A N C D S E A I W W
R N T I I E Y O U S D L L
```

◊ BARON
◊ CORONATION
◊ COUNTESS
◊ CROWN
◊ DUKE
◊ DYNASTY

◊ EARL
◊ LAIRD
◊ MAJESTY
◊ MARQUIS
◊ NOBLES
◊ PRINCE

◊ RANK
◊ REALM
◊ RULER
◊ STATELY
◊ TITLE
◊ WEALTH

Fictional Places

```
L O E W D E L A T H E A A
I S C A M E L O T M E D I
R N W L E U K O E L D L M
M D A B D L H R O A R E I
Y F N A F E A R I Z M I D
C I N A B L A N R I E F D
B A R E D M A R L S T G L
X O Z C G E B A T G R N E
N O I I C D L C B O O I M
J T R O H A N A Z N P R A
Y N S C M R I U Q D O P R
C J K Q J E A S B O L S C
E L I L L I P U T R I I H
I N G K O G U X F K S Q X
A D N E Z W L E L S I M A
```

◊ ALALI

◊ CAMELOT

◊ CYMRIL

◊ EMERALD
  CITY

◊ FALME

◊ GONDOR

◊ HOTH

◊ KLOW

◊ LILLIPUT

◊ METROPOLIS

◊ MIDDLE-
  MARCH

◊ OCEANIA

◊ QUIRM

◊ RIGMAROLE

◊ ROHAN

◊ SPRINGFIELD

◊ XANADU

◊ ZENDA

184 Weapons

```
R Y T K N E L I S S I M A
E A C T R O B E C R E E S
L R P A R O M U G X P T R
S T X I N E O Z L D I O A
O R W A E M B F L L U J S
O U R C J R H U E I E C D
G N R E K T H T C E T T R
L C F A E Y T A D H X T E
X H D K E O Z A R T E N B
X E C I U P G D G P Y T L
J O A V Q G S Y R Y O F A
R N D E E R E Z T I W O H
L G M R Q F S L N A O Q N
D R O W S N N J A R R O W
M E L F I R E V O L V E R
```

◊ ARROW   ◊ H-BOMB   ◊ ROCKET

◊ BULLET   ◊ HOWITZER   ◊ SPEAR

◊ CUDGEL   ◊ MISSILE   ◊ STILETTO

◊ DAGGER   ◊ RAPIER   ◊ SWORD

◊ HALBERD   ◊ REVOLVER   ◊ TREBUCHET

◊ HARPOON   ◊ RIFLE   ◊ TRUNCHEON

Behind Bars

```
N O S I R P B Y U Z W K U
E C Z C R K I I N S O A P
L E R G U F C L O O F D S
S I F I L S I O R E Z D H
N A Q N M I T C L H T G M
H I E R N I N O I B R Z W
H E C S E G N T D P I T G
F E I H T P M A E Y A N E
Z D R W T A A N L R L Q F
E D E D N I A C X K R C D
P N M S L L A W S R F E N
S R A R I O A P P E A L D
N L N X I S K S L L B L L
U X D O V L S C T A S S E
D R O N R E V O G N Z B S
```

◊ APPEAL ◊ ESCAPE ◊ PENAL

◊ BLOCK ◊ FELON ◊ PRISON

◊ CELLS ◊ GOVERNOR ◊ REMAND

◊ CRIMINAL ◊ HITMAN ◊ THIEF

◊ CROOK ◊ INSIDE ◊ TRIAL

◊ CUSTODY ◊ INTERRED ◊ WALLS

186   Juicy Fruits

```
O N B B Z N Z W R F O R R
G G K I W I C I U A R A I
O I N N L H M D B E E O D
O E C A E B E E T P A R A
S Y T R M C E L L S S A J
E H R A A N T R P O E N D
B Y T R N N D A R P N D R
E D P B E A B U R Y A S L
R L B D P B R E A I A O T
R N O M E L P G R I N E L
Y X U U A V O S E R L E G
B E G O C T K E A M Y X U
V L M T H R D W E R O L A
I A M I L E P A R G U P V
V I D J L N B Q A J T M A
```

◊ APPLE

◊ BILBERRY

◊ CHERRY

◊ CRANBERRY

◊ GOOSEBERRY

◊ GRAPE

◊ GUAVA

◊ KIWI

◊ LEMON

◊ LIME

◊ MANGO

◊ MELON

◊ NECTARINE

◊ PEACH

◊ PEAR

◊ POME-
   GRANATE

◊ RASPBERRY

◊ UGLI

"THREE ..."

```
O L E R K U X F I L E M W
P A H E L D A D Q H S G V
E N R A M A S T E D A R L
N O E N N Z E R F L H P D
N I T V I D O T E X P N S
Y S F U T C E S I E I D A
O N B B S N T D Q K H E C
P E S C O O S U A S P C S
E M E R O T A F S R E K E
R I S G R R O L O A J E C
A D E I T O N N Y E B R A
O S K E S G G E R B G A R
A E R T E E X M R Y V L G
S S B P D E W I S E M E N
K Q T X A J A U N R D N Z
```

◊ BEARS
◊ CHEERS
◊ CORNERED
◊ DECKER
◊ DIMENSIONAL
◊ GRACES

◊ HANDED
◊ MASTED
◊ OF A KIND
◊ PENNY OPERA
◊ PHASE
◊ PRONGED

◊ QUARTERS
◊ SCORE
◊ STOOGES
◊ STRIKES
◊ TENORS
◊ WISE MEN

Social Media

```
N Z Z D Q K E S D I G G F
E P N L Q T U X N I V W X
T O A A I T E I D A S C S
W S R V A N M O H G O D X
O T N T G E K I T N E B W
R I S P E F D S V E X O D
K N V T O A F E F K K D Q
I G U W P N R W B O L E U
N P U I G S I S W E D L I
G F V R A F E O B E Y I A
E S O T I N N R A H K C N
V U I O A T D K N I D I T
P O A J A H S U W I I O W
N N I G Q A C T D E S U D
I U S E B U T U O Y I S T
```

◊ CHAT

◊ CONVERSA-
TION

◊ DELICIOUS

◊ DIGG

◊ FANS

◊ FEEDS

◊ FRIENDS

◊ GROUP

◊ INVITE

◊ LINKS

◊ MEETUP

◊ NETWORKING

◊ ORKUT

◊ POSTING

◊ STATUS

◊ TAGS

◊ WIKI

◊ YOUTUBE

Slot Machine

```
M Q I X F D E U E S O T T
I O O T A O L J R G E D O
D K J E A R C A D E D N L
E L O S S N B O S F R U S
S L H M E D C R N E B I N
M T U O Y A P E I Z B P G
H L I G H T S P O M U J N
P C E U C R S E C B G C I
S T T V R N E A I P H N N
Q I X A E F B T L E R D N
O I E K S R X O R R X O I
T C O L T H S R N Y Q U W
A T L O W O I V W U Y B A
O E Z C R E D I T S S L Q
B S X P S L N O I J U E B
```

◊ ARCADE　　◊ CREDITS　　◊ PAYOUT

◊ BARS　　◊ DOUBLE　　◊ PLUMS

◊ BELLS　　◊ FRUITS　　◊ REPEAT

◊ BONUS　　◊ LEVER　　◊ SLOT

◊ CHERRIES　　◊ LIGHTS　　◊ TOKENS

◊ COINS　　◊ NUDGE　　◊ WINNING

Many Sounds

```
T I R B N Z V W S S A F O
Y E L L F H H T S L L H B
W S M A A I K E I R H S S
W E A S S C P E H F N V Z
E O U T E N O T E P Y Z N
T G L T F O R U I N U J V
B E Y O K R R A S B L L H
E E K O I E N S I T K Q P
B J A H K I S N C H I N K
L N O A S V I U S U S C L
E L N S N A C U P M T O S
D E I M R C R T E M H W E
U M C T I O T C U I U S E
O M S H H L I M I N M R Y
K R O C O J Y D X G P S X
```

◊ ACOUSTICS   ◊ ECHO   ◊ SHRIEK

◊ BLAST   ◊ HISS   ◊ STRAIN

◊ BUZZ   ◊ HOOT   ◊ THUMP

◊ CHINK   ◊ HUMMING   ◊ TONE

◊ CHORUS   ◊ PIANISSIMO   ◊ WHISTLE

◊ CRASH   ◊ RUMPUS   ◊ YELL

```
A  S  I  C  A  I  T  N  A  C  C  P  T
Y  Y  A  D  T  E  P  I  D  I  I  A  U
I  N  E  T  A  C  G  Z  E  Y  A  I  S
X  Q  O  I  L  A  X  E  A  T  N  E  I
N  C  F  H  M  Z  N  D  R  U  C  D  S
S  G  L  O  I  E  X  E  A  I  R  D  S
A  F  C  Z  A  Y  B  L  V  U  Z  M  I
E  A  F  G  T  A  L  O  I  C  E  N  I
V  N  L  W  T  E  D  D  L  R  E  N  I
D  E  C  E  V  R  S  I  T  R  N  I  I
B  V  S  U  O  P  D  A  E  U  N  S  K
T  V  T  M  P  L  E  A  B  S  S  J  D
B  A  B  C  G  U  C  O  C  A  I  A  Y
C  K  N  I  W  G  D  G  C  E  G  H  T
Z  T  I  I  S  I  R  A  P  Y  L  Z  U
```

◊ ATREBATES

◊ BELGAE

◊ CAERENI

◊ CANTIACI

◊ CASSI

◊ CATENI

◊ CATUVEL-
  LAUNI

◊ DOBUNNI

◊ DRUIDS

◊ EPIDII

◊ ICENI

◊ LUGI

◊ ORDOVICES

◊ PARISII

◊ SCOTTI

◊ SMERTAE

◊ TAEXALI

◊ VACOMAGI

"X" Words

```
X S X E E C X M X H O S A
Y I U S E W R E E M E X N
X R W B E X A X H L X L K
E Y E N A L Y X B A Y V O
B X X A D L S Y N T X X D
E X C D O T X T N E N I N
E S E S X O H S N X O L P
N I M O H O X A S H M B S
O A X C M E R U P O D A E
H A U A N T T I S R S Y S
P X R I H S X E E V X T X
O G A R Y A X I C O V E R
L L A X N R V I V T R I C
Y O X D E A N X S O Z Z S
X I N X X G E S X E N O N
```

◊ XANTHOMA ◊ XEROX ◊ XYLAN

◊ XAVIER ◊ XERXES ◊ XYLEM

◊ XEBEC ◊ XHOSA ◊ XYLOPHONE

◊ XENARTHRA ◊ XIPHOID ◊ XYLOSMA

◊ XENIAL ◊ XMAS ◊ XYRIS

◊ XENON ◊ X-RAYS ◊ XYSTUS

Picnic Basket

```
W U G L I L B V V Q X S O
H V J R T R A R K H G D D
A C O E I S Z S Q U T P F
R J N T U A A G M J S T R
D K Q A R L S R V V E Z D
B Y E W F A L B L E T F R
O V A A R D R O A N A G L
I W I N E E K L R E L J O
L T L B A D B I X A P U E
E E S D Q N K M S E N Q S
D P A A O N A S U S N G E
E U R P I A E B N C B W E
G E F V P S K U Q O U I H
G R E W U L B S W E X C C
S S R E S C E L H I D L G
```

◊ APPLE   ◊ CUCUMBER   ◊ MUGS

◊ BANANA   ◊ FLASK   ◊ ORANGE

◊ BOWL   ◊ FRUIT   ◊ PLATE

◊ BREAD   ◊ GLASSES   ◊ SALAD

◊ BUNS   ◊ HARD-BOILED   ◊ WATER
                   EGGS
◊ CHEESE   ◊ WINE
                 ◊ KNIVES

Ceremonies

```
U T U W X M A G V L X I P
T T N A E G A P U N M G L
B A U E U N V E I L I N G
A T A Y M E G A I R R A M
T S O E O A A D E C R T H
M E F E G N R K R H E Y F
I I Y E R N A C I R T D N
T F L N D S I H A I P N F
Z R A M R I T D C S I U B
V D Y S K R H H D T N A A
A P O T L A T C H E A M P
H L U S T R U M R N W B T
E M I R E E O A J I N G I
R J W K T H L S O N I E S
G H J A F P N N G G S H M
```

◊ AMRIT   ◊ FIESTA   ◊ PAGEANT

◊ BAPTISM   ◊ FUNERAL   ◊ POTLATCH

◊ BAT MITZVAH   ◊ LUSTRUM   ◊ SACRAMENT

◊ CHANOYU   ◊ MARRIAGE   ◊ TANGI

◊ CHRISTENING   ◊ MAUNDY   ◊ UNVEILING

◊ DOSEH   ◊ NIPTER   ◊ WEDDING

```
D E L U G E Y C R N C T P
U M M N M Z M T H A X O T
O D R O A R E B J Y E I Y
L W O H N G N H R N I L S
C I T T U S H Y N I A R C
K I S V X L O X M T G N Y
U Q B X H O D O H Y N H A
R I A F E W A G N T D R T
A P Z H O O U T R S F W B
R O C Q A O A T F U D S S
I Z F T R A H C R G A L E
G S G D T A R L E Z A S L
U Z L O W P R E S S U R E
E A D D O D H W H T G Q L
H T R M U D E G N D A R T
```

◊ BRIGHT

◊ CHART

◊ CLEAR

◊ CLOUD

◊ DELUGE

◊ DROUGHT

◊ FAIR

◊ FRESH

◊ GALE

◊ GOOD

◊ GUSTY

◊ HAAR

◊ HAZY

◊ LOW
  PRESSURE

◊ MONSOON

◊ RAINY

◊ STORM

◊ THAW

Golfing Terms

```
A H W C N D P Q T C R S E
S S T F R D R I V P D P D
I H F A I R W A Y M Y I A
X T Z B K D A R S K M K L
L A E A E Z G E H E N E B
H D T C E I F K C G U S T
L X Z K L A P N A W U F K
W W N E C N A U O O O O D
F D O Y G T O B R L E S R
R I O R S D R R P F O R E
G M P O Z E E D P E D O Y
S P S G W L W W A A O C C
Y L S M F Q D G T G Q M X
I E N E X S L S L I C E S
J S N R R E X T S O M M Y
```

◊ APPROACH   ◊ EAGLE   ◊ SLICE

◊ APRON   ◊ FAIRWAY   ◊ SPIKES

◊ BLADE   ◊ FORE   ◊ SPOON

◊ BUNKER   ◊ HAZARD   ◊ STANCE

◊ CLEEK   ◊ LOFT   ◊ WEDGE

◊ DIMPLES   ◊ ROUGH   ◊ WOOD

So Soft

```
E  D  T  Y  L  O  T  C  N  U  O  A  G
L  N  Y  T  N  I  L  A  L  W  R  N  N
Q  D  N  I  K  W  H  C  U  O  I  J  P
D  G  N  I  H  T  O  O  S  L  U  E  R
E  L  I  T  C  U  D  D  E  L  N  D  Y
F  S  I  J  C  H  Y  E  Y  E  V  C  S
A  D  N  M  U  J  F  T  T  M  E  Y  M
C  R  M  Q  S  L  V  R  E  E  J  O  J
I  I  I  V  H  R  A  P  L  I  A  N  T
L  D  S  Q  Y  B  D  F  F  F  T  R  E
E  R  V  D  L  H  P  L  Q  E  P  F  N
T  E  O  E  D  L  U  U  C  U  A  K  D
X  G  M  O  E  F  I  L  L  C  S  A  E
E  A  N  B  F  E  U  P  L  R  M  N  R
A  C  A  Y  T  D  Y  G  E  N  Z  P  N
```

◊ CLOUDS   ◊ FEELING   ◊ PENETRABLE

◊ CUSHY   ◊ FLEECY   ◊ PLIANT

◊ DOWNY   ◊ FLUFFY   ◊ PULPY

◊ DUCTILE   ◊ KIND   ◊ QUIET

◊ DULCET   ◊ MELLOW   ◊ SOOTHING

◊ FACILE   ◊ MILD   ◊ TENDER

198   Turkey

```
C E I E E G X K R Q J T K
R Z M K K M L R E I E E O
X E L N A I Q O N E B L N
V M Y X Y R W O L A E F Y
A D D M A E N S B I Y L A
N V N Y T U D S A S R U B
G S A Q A A C R S A E B A
O B S O H T O M R A Y N Y
L O M O U N T A R A R A T
U S T R O Y M T N B C T A
E I R E M R A D N E G S L
N N Q L A X S V Q E E I A
I O E M L S L P A Y V Q M
J P E O L A A G Z V I E A
N G X S J K K A J E D Y L
```

◊ BAYAR

◊ BURSA

◊ GEN-
   DARMERIE

◊ HATAY

◊ INONU

◊ ISTANBUL

◊ KEBABS

◊ KONYA

◊ LEVENT

◊ MALATYA

◊ MARMARA

◊ MASLAK

◊ MEZE

◊ MOUNT
   ARARAT

◊ RAKI

◊ SINOP

◊ TROY

◊ VAN GOLU

Musical Instruments

```
H  W  F  E  V  Y  W  G  O  C  D  N  D
T  E  I  L  Q  C  S  F  U  R  Q  D  L
O  W  S  D  I  E  T  L  O  I  G  B  F
N  V  R  D  M  X  E  H  L  B  T  A  E
N  U  T  I  L  T  C  N  Z  E  O  A  N
M  A  H  F  U  I  D  H  C  T  B  E  R
L  C  T  L  V  E  T  B  D  S  M  E  A
D  E  O  A  G  B  W  M  E  W  Q  A  Q
N  I  L  L  R  N  V  W  A  F  Z  E  J
S  C  S  M  O  E  O  H  O  G  I  L  T
X  H  O  C  B  C  S  G  N  E  K  F  K
S  O  T  I  A  H  C  U  A  N  N  F  G
G  Z  A  S  T  Y  Y  I  I  M  C  I  S
M  S  E  P  I  P  N  A  P  O  F  H  A
T  N  O  Z  E  K  S  R  U  U  T  W  D
```

◊ BELL

◊ CHIMES

◊ CLAVICHORD

◊ DRUM

◊ FIDDLE

◊ FIFE

◊ GONG

◊ GUITAR

◊ LUTE

◊ MOOG

◊ OBOE

◊ ORGAN

◊ PAN PIPES

◊ PIANO

◊ PICCOLO

◊ SHAWM

◊ TABOR

◊ WHIFFLE

200   Money

```
I  D  A  C  G  K  M  B  O  Q  K  N  T
N  I  D  T  E  R  L  P  H  X  C  H  L
T  R  Y  O  M  B  A  P  N  H  L  B  L
E  S  R  E  C  O  I  N  A  G  E  F  A
R  N  A  E  N  X  F  R  T  S  E  S  T
E  N  V  U  S  O  G  P  O  R  D  E  R
S  E  T  O  N  E  M  C  L  T  M  Q  E
T  U  H  I  L  I  A  Y  A  M  K  G  A
H  A  B  U  A  U  L  R  D  E  N  S  S
T  Q  S  S  E  Y  R  O  N  A  D  I  U
L  D  E  S  I  X  T  D  H  I  E  D  R
A  R  H  C  E  D  C  C  U  A  N  R  Y
E  F  C  Y  A  T  Y  I  O  T  Q  G  R
W  X  I  B  E  S  S  W  S  L  Y  G  S
G  C  R  E  S  E  H  U  A  E  T  O  X
```

◊ ASSETS

◊ CASH

◊ CHANGE

◊ CHARGE

◊ COINAGE

◊ DUTY

◊ EARNINGS

◊ EXCISE

◊ GRANT

◊ INTEREST

◊ MEANS

◊ NOTES

◊ ORDER

◊ READY MONEY

◊ RICHES

◊ SUBSIDY

◊ TREASURY

◊ WEALTH

Rivers of Canada

```
T N W A B U D D N A R G I
N V E A N K R T D R K N R
H L U L I A R D S U O N T
H O C A S E M R S E O O T
U N T U F O D D N S T K T
D D N T E B N I L M E U O
T R J A A T E M Z O N Y N
M C B T Z W T D N I A S E
N E T S G A A W N R Y V A
P L P Y O E K O U A A I T
E T S L A S T I O L P X E
D S F G I R D L S J Y V Y
H R L N O D E S S S C N B
M E I H N I T O C L I H C
A W M I S S I N A I B I G
```

◊ BATTLE

◊ CHILCOTIN

◊ DUBAWNT

◊ EAGLE

◊ EXPLOITS

◊ GRAND

◊ HORTON

◊ KAZAN

◊ KOOTENAY

◊ LIARD

◊ MISSINAIBI

◊ MOIRA

◊ NELSON

◊ OLDMAN

◊ OTTAWA

◊ SLAVE

◊ WINISK

◊ YUKON

Card Games

```
O A O M O R J S N E V E S
R C J M D L Y R L P N T R
A B B N N T A B P O R X E
F R U Z V M R O O E U O T
E T K N T G A T E R Z T N
V A O M K O N T S H F K O
R O V Y I O S H Q C L Y M
E W D F P Q E E R U G S E
K D M Z I A W C E E E U D
O W O D R S S L D S E S R
P K O T J X H O D E R E S
D L S L N R W C O Z D L L
U Q N R I G N K G I L W I
T A K S L H K L P S O L O
S N U K Q I S S I S T O P
```

◊ BUNKO   ◊ HI-LOW   ◊ SOLO

◊ DEMON   ◊ OMBRE   ◊ SPIDER

◊ EUCHRE   ◊ PONTOON   ◊ STOP

◊ FARO   ◊ RED DOG   ◊ STREETS

◊ FISH   ◊ SEVENS   ◊ STUD POKER

◊ HEARTS   ◊ SKAT   ◊ THE CLOCK

```
T A F F P E J C D R R F W
T Y J L K G R E K A E B B
F M R A O A T X A S B L M
S O E S S E F S N N M R M
H K H Z B Z I L C I A E E
R I U I L N Z O I O H B N
H F S L I O N O E C C P D
C X Y T L R Z T N I L F S
V G D Y O B E D T V A Z C
A B N U C R S D R G I D R
S O K I N I I E Y S R J A
F U V L T B L C L S U K P
U N C E R A O E A E B K E
H I S L N L D W R L T L R
R I O T T A R G L R F S J
```

◊ ANCIENT

◊ BEAKER

◊ BOWL

◊ BRONZE AGE

◊ BURIAL CHAMBER

◊ COINS

◊ DATING

◊ END SCRAPER

◊ FLINT

◊ GRATTOIR

◊ HISTORICAL

◊ OVEN

◊ RELIC

◊ SITES

◊ SKULL

◊ SPHINX

◊ STELE

◊ TOOLS

204   **Links**

```
I  V  Q  S  E  S  S  E  N  R  A  H  E
O  C  F  I  P  S  W  T  B  F  R  O  U
Q  D  P  A  N  L  Q  I  U  M  S  U  N
A  H  K  I  S  T  I  S  R  E  L  S  M
L  U  O  S  D  T  E  C  G  L  E  D  A
C  J  A  U  T  S  E  R  E  D  L  N  R
H  O  U  B  D  I  E  N  L  S  E  O  R
I  C  U  N  I  M  U  D  S  O  N  B  I
E  R  O  P  C  N  R  C  S  U  C  S  E
Y  E  Q  N  L  T  D  N  R  N  E  K  S
S  O  F  L  T  E  I  S  Z  I  O  T  S
D  U  K  O  P  A  S  O  L  T  C  L  G
R  J  I  E  H  Z  C  L  N  E  G  R  J
T  M  T  C  S  V  A  T  H  S  N  L  C
S  E  H  C  E  Y  Z  W  S  D  I  K  U
```

◊ ALLIES	◊ COUPLES	◊ JUNCTIONS
◊ BINDS	◊ FASTENS	◊ MARRIES
◊ BONDS	◊ FUSES	◊ MERGES
◊ CHAINS	◊ HARNESSES	◊ SPLICES
◊ CIRCUITS	◊ INTERLOCKS	◊ UNITES
◊ CONTACTS	◊ JOINS	◊ YOKES

Bones of the Body

```
A E A L L I X A M B S L Q
E P D N M I I N A Y E D L
O A Y N T H I K N E T Y C
F E M U R D L L D N I E A
E N O B P I H E I E A E P
I M W S U O T H B U L O I
S K U L L Z M H L Q M E T
I A K R G E C A E Q B F A
Q E I U C P P S X D Y A T
R Z L B L A U U E I N E E
K R X Y I R S N R L A P S
I Q R C E T P X U R L N B
E D W M H H D E D E I S I
C Q U B A N V I L H J T R
N H J M U I H C S I T O S
```

◊ ANKLE   ◊ ILIUM   ◊ SHINS

◊ ANVIL   ◊ ISCHIUM   ◊ SKULL

◊ CAPITATE   ◊ MANDIBLE   ◊ STIRRUP

◊ FEMUR   ◊ MAXILLA   ◊ TIBIA

◊ HIPBONE   ◊ RIBS   ◊ TRAPEZOID

◊ HUMERUS   ◊ SACRUM   ◊ ULNA

"BIG" Start

```
B  I  G  I  A  L  G  I  B  L  T  T  T
Y  S  W  L  A  B  I  G  H  A  F  O  H
S  R  B  I  G  H  E  A  D  E  D  O  T
B  J  O  B  I  G  T  S  E  D  A  F  U
I  B  E  E  Q  E  N  R  Y  G  B  G  O
G  B  I  G  H  A  N  D  E  I  E  I  M
T  B  I  G  O  T  R  Y  G  B  W  B  G
O  I  I  M  B  V  G  H  I  H  G  B  I
P  V  B  G  E  E  E  N  B  E  E  I  B
B  I  I  D  H  A  N  O  A  E  M  G  B
B  D  G  Y  R  A  B  I  G  B  A  N  D
K  C  I  T  S  G  I  B  E  A  G  O  G
O  P  E  T  B  K  D  R  G  M  G  I  I
F  D  B  I  G  H  O  R  N  I  I  S  B
B  I  G  X  R  G  U  E  D  L  B  E  T
```

◊ BIG BAND

◊ BIG BANG
  THEORY

◊ BIG BEN

◊ BIG BERTHA

◊ BIG DEAL

◊ BIG GAME

◊ BIG HAIR

◊ BIG HAND

◊ BIG HORN

◊ BIG MOUTH

◊ BIG NOISE

◊ BIG STICK

◊ BIG TOP

◊ BIG-EYED

◊ BIGFOOT

◊ BIG-HEADED

◊ BIG-HEARTED

◊ BIGOTRY

```
M S L I O S R Q O C C F E
S W S P B T T S N H O G T
R E Z E O O O Z N I O A T
E E E X S R M N X A T A U
B T L T T R D A I L E N A
M C J A L A P E N O S B R
U O E R G C A R G G N T K
C R L G I S E I L S O S R
U N O L E L N S A Q V Q E
C T R V I G T I R E O G U
I A I S E E O C K E G N A
G L H R J D A S J R P G S
O A D N D V W H N C E A S
S E I V O H C N A S L H C
S E H C A E P L D D E Y G
```

◊ ANCHOVIES ◊ EGGS ◊ OLIVES

◊ BEANS ◊ GARLIC ◊ ONIONS

◊ BEET ◊ GHERKINS ◊ PEACHES

◊ CAPERS ◊ GINGER ◊ RELISH

◊ CARROTS ◊ JALAPENOS ◊ SAUERKRAUT

◊ CUCUMBERS ◊ MANGO ◊ SWEETCORN

Fractions

```
E E C O M P A R E H Q D M
N O I T C A R F T J I R U
U Z L D O Q Z N H V E L L
O N T I A I E S I D B R T
H T F I F V T D R D A H I
H N T D E F E O D G H T P
F T U L I D Y J L T R F L
T L E M C D X U N E O L E
X D O I E I V I T C L E C
J E N O T R N R Y B Z W X
M C H T D N A S U O H T I
H I X J G U E T H E X K X
I M X N Q R E W O A N C D
E A B E L G E T T R L Q R
Y L S B D I C R E Y C F T
```

◊ COMPARE ◊ HALF ◊ QUARTER

◊ DECIMAL ◊ MIXED ◊ THIRD

◊ DIVIDED ◊ MULTIPLE ◊ THOUSANDTH

◊ ELEVENTH ◊ NINTH ◊ TWELFTH

◊ FIFTH ◊ NUMERATOR ◊ TWENTIETH

◊ FRACTION ◊ ORDER ◊ VULGAR

Think About It

```
E J A E V I E C R E P Z E
R N I A R B E H T K C A R
E T V D A R V I K I O W E
C V F I S E W S O U N L F
A E T Q S G B M O Q T B N
L R L V E A L L R Z E E I
L E R Q S R G A B T M A D
B A E S S D C E U C P R Y
D S N E L E M R R F L I E
N O K C E R N U X A A N V
I N I D O O S F S Y T M R
Z A S D V E E O D E E I U
B I Q E C L B U L N R N S
A I R A P O T G I V J D J
E N O I T S E U Q I E V N
```

◊ ASSESS

◊ BEAR IN MIND

◊ BROOK

◊ CONTEM-
   PLATE

◊ ENVISAGE

◊ INFER

◊ MUSE

◊ PERCEIVE

◊ QUESTION

◊ RACK THE
   BRAIN

◊ REASON

◊ RECALL

◊ RECKON

◊ REGARD

◊ SOLVE

◊ STUDY

◊ SURVEY

◊ TURN OVER

Scottish Islands

```
Y A O S A E L Z F Z W R R
S T U L A R R A B R I D P
L K I D S Y A I W S D U D
U K D C W S N F L C E H N
H Q P D O V R E I H W F A
K C A R N A M D P N O W L
G G I E A A O H K R K Y S
U J D N R E W E G E A E I
O I O T A I Z X D E F C T
U A I A N O V M X Z H L S
Y N D E U Y D A N N A H E
E Y O N H U F L N P B X I
A T L O A T R O U S A Y R
S U M H F H H R R M O D P
G V A V L U N G A X I E E
```

◊ BARRA

◊ CARNA

◊ DANNA

◊ EIGG

◊ FARA

◊ HANDA

◊ HOY

◊ ISLE MARTIN

◊ LUNGA

◊ MULDOANICH

◊ PRIEST
  ISLAND

◊ ROUSAY

◊ SCARP

◊ SOAY

◊ SWONA

◊ ULVA

◊ UYEA

◊ WIAY

The Autumnal Season

```
Y A S A R S B Y C F X N A
P I O D V I M Z O L P L S
S R E K N O C G A E L M C
V R D L O N G T T E O T I
M X E L D Y S E R O R G C
S J G M A I S B R A N O M
Y T A Z M B M H H U A A P
O Y A V P U S N F U E C S
P U E H L U S S H B E A I
D C W Q M L I N D J K S R
K L O I U I Z D A U W D C
E P T O D I X D O I O Y D
S O V B L O N T L K D L N
J D T L R S A O F O H N C
T S H S O E S X X I N D I
```

◊ CLOUDS

◊ COAT

◊ CONKERS

◊ COOL

◊ CRISP

◊ DAMP

◊ EQUINOX

◊ FOGGY

◊ FUNGI

◊ GLOOMY

◊ HATS

◊ HUES

◊ INDIAN SUMMER

◊ MIST

◊ MUSHROOMS

◊ PODS

◊ UMBRELLA

◊ YIELD

```
T P M B T P F C Q C E G A
V I I G N I K D E R E E E
J L B D E L D N D C I A L
W D E B R S Q U I I T G D
N A D L A E U L C M N I L
N N L N R R A O E H E A E
M I A R I R E M M O E K H
M O A Y U R J T B R G S T
K O O C R S E R I R O E S
S Y X R I A E I Y H U D G
V D G D H P M P R Q W D E
L N Z K P S H J O L Q M M
O I L E K O U R S D O D O
R N P O N T C M E F I Z I
Y O F X D T X D S K H U D
```

◊ ALICE   ◊ DREAM   ◊ MUSHROOM

◊ COOK   ◊ DUCHESS   ◊ PEPPER

◊ CROQUET   ◊ EAT ME   ◊ RED KING

◊ DINAH   ◊ GRYPHON   ◊ ROSES

◊ DODO   ◊ LORY   ◊ WALRUS

◊ DORMOUSE   ◊ MARY ANN   ◊ WHITE RABBIT

Museum Piece

```
C A D L T N C Q A S M T N
I Y A L P S I D C S V O O
R L P O E R N I N A M G I
T S G R R A L O U P R N T
I U W C I E P L I A M I A
B J D S R A T R E E L V R
S G M O E S T N R T N R T
N A C W R L X Q R O A A S
Y S K O O B Y M M U M C N
O I N O Z M F S R R O I O
R Z H G P D E P E I R J M
I C E O X L C I A S O M E
S R K E E R G T K T A R D
D V A T N G B O N E S C E
W C S I F D E G P D E D Y
```

◊ BONES

◊ BOOKS

◊ CARVING

◊ CASES

◊ DEMONSTRA-
TION

◊ DISPLAY

◊ GREEK

◊ MOSAIC

◊ MUMMY

◊ RELICS

◊ ROMAN

◊ SCHOOL TRIP

◊ SCROLL

◊ STELE

◊ TOURIST

◊ TUDOR

◊ VAULTS

◊ WEAPONS

Varieties of Grape

```
T Z Y N W N E N U M D I E
I R T E P O Y T A S H U G
L T C A F T V T I R D J F
O L D J A E A B G R E R V
C B D C R R O U C H E T C
I X S D O B L O K I J A L
P U E I J I L A S L G R G
M J R V E Y U A U N A R R
O O L O N G I P U B R A E
B T H E K M E L L L R N N
I O C S I M A R R G T G A
E L N E Y R Q E R P T O C
S R O T I R T K K E O R H
U E R H K Z A R T L B A E
N M L P D O G H C Q D E F
```

◊ BRETON   ◊ MATARO   ◊ ROUCHET

◊ BUAL   ◊ MERLOT   ◊ SIEGERREBE

◊ CAGNULARI   ◊ MUSCAT   ◊ SYRAH

◊ FREISA   ◊ PICOLIT   ◊ TARRANGO

◊ GRENACHE   ◊ PIGNOLO   ◊ TERAN

◊ JAEN   ◊ RAMISCO   ◊ VERDEJO

Tickets

```
J O D Q C R I M A A X A B
D R Y C L E A N I N G C R
A M E N I C C I R C U S A
D D W B U O Z E R E L E F
N N Z W N H U E E L Y D F
N E U E A R T C C E I D L
E S W O O U R I N N K N E
P A P S R A V R A A X Z E
Y G T N I G U O D L C L T
R A A L R O R O U P A O R
R X W L J E Y I T D O T A
M A G S L I B R A R Y T I
Y A U O Q E Q A R F B E N
O B D W I R R A N E R R N
P E P D L R C Y L C F Y A
```

◊ AIRLINE   ◊ EUROSTAR   ◊ ONE-WAY

◊ BUS JOURNEY   ◊ FAIRGROUND   ◊ PLANE

◊ CINEMA   ◊ FERRY   ◊ RAFFLE

◊ CIRCUS   ◊ GALLERY   ◊ RAILWAY

◊ DANCE   ◊ LIBRARY   ◊ RETURN

◊ DRY-CLEANING   ◊ LOTTERY   ◊ TRAIN

Snakes

```
L R Y O N L O P V S D C Q
Z O O N J I S I U W I V A
O T N A I T H E D J U C S
K C S P A N I I L W O T Y
E I D I D A U A O B T M U
E R T A D C N S R K E K E
L T R T E E U A A K I I S
B S I S R R W T R N B F W
A N Z G U E R I G O K S A
C O W T U Y E B N A N R T
K C U R N D R S N D A O Z
A A S J L O W L N R E C S
N O Z A W K W O A A X R F
E B U N H Z D Y N S K T Y
R E C A R K M A M B A E Y
```

◊ ADDER

◊ BOA CON-
STRICTOR

◊ CANTIL

◊ COBRA

◊ DUGITE

◊ KEELBACK

◊ KING BROWN

◊ KRAIT

◊ LORA

◊ MAMBA

◊ RACER

◊ SIDEWINDER

◊ SONORAN

◊ TAIPAN

◊ TREE SNAKE

◊ URUTU

◊ WUTU

◊ YARARA

Australia

```
M L A A A S E B U R M E Q
R A D L Y H A O Y E A R N
D G H D K Y T T A S C O E
U D N T A D N A R U K M W
U E C N R R R N R A A S S
Y D D E G O C Y U R Y I O
U D A K A K N B M V A L U
R J Y K A M B A L D A K T
H N T A X E O Y I Y D O H
D M E L B O U R N E H T W
F U N E C K C R X G R Y A
S X B Q N S R J U E V S L
O U T B A C K A P L O O E
S S A E O Q T Y H O U L S
O D N T G T R O N S D S Z
```

◊ BOTANY BAY

◊ DUBBO

◊ KAKADU

◊ KAMBALDA

◊ KARRATHA

◊ KURANDA

◊ LISMORE

◊ MACKAY

◊ MELBOURNE

◊ MURRAY

◊ NEW SOUTH
   WALES

◊ NOOSA

◊ NORTHAM

◊ OUTBACK

◊ PERTH

◊ SHARK BAY

◊ SYDNEY

◊ ULURU

Authority

```
T J S W A Y T D V H J J E
N P U N O I S S I M M O C
A E D R M B P O W E R R N
R O G R I A T C O T U D E
R S E V D S T D D L Y I U
A P Y C N A D N E C S A L
W A F S I V X I A E O E F
T L H Q R R F M C N E G N
R L E W C W E O O T O L I
O O J M D R N I R M I I G
P W D A P T N E D C X O R
P A Y U R I T E E D D E N
U N S O M S R N S L D N V
S C L O A M S E A R U D T
K E D M S E E N O H O A D
```

◊ ALLOWANCE   ◊ INFLUENCE   ◊ POWER

◊ ASCENDANCY   ◊ JURISDICTION   ◊ RULE

◊ COMMISSION   ◊ LICENSE   ◊ SUPPORT

◊ CONTROL   ◊ MASTER   ◊ SUPREMACY

◊ DOMINION   ◊ ORDER   ◊ SWAY

◊ EMPIRE   ◊ PERMIT   ◊ WARRANT

Buying a Home

```
D L E D L U Q O V A M X K
E F X T E E I S R O O L F
H I C C O T L D S R D A N
C U H K N U A G B F O T O
A C A N I S R V O T W L I
T O N A B E D R O O M S T
E N G B T D S U L N V W A
D T E W A A E A A O E X C
I R A M L A G E N T N R O
U A E E T N N D D L D A L
J C N T U R A E L S O E O
I T C B H R A O D O R D U
E L A V O R P P A R S X J
S R H L A L G S A N A E S
M F I S M P Z H Y I A G R
```

◊ AGENT   ◊ CONTRACT   ◊ GARDEN

◊ APARTMENT   ◊ DEEDS   ◊ LOCATION

◊ APPROVAL   ◊ DETACHED   ◊ RENOVATED

◊ BANK   ◊ EXCHANGE   ◊ SOLD

◊ BEDROOMS   ◊ FLOORS   ◊ TOUR

◊ BUNGALOW   ◊ FOR SALE   ◊ VENDOR

Rodents

```
T L L P I L E M M I N G O
D O E I W E N J E H U X L
B R W K K R F E D P J W M
G Q S A S R M E Y L O E C
C O B H L I I O R O E F Y
H R H N I U C I D R E X L
I O A D N Q O C K H E N T
N I A B N S H A A L J T A
C D O M B U T G F D R C R
H D Z E C I O N K G E Y R
I C E K L U T R O O V V E
L A E G T L O P G A A E W
L T E I U V H F C E E Z E
A G U I N E A P I G B V S
M S A E R E N U T R I A J
```

◊ AGOUTI   ◊ FERRET   ◊ NUTRIA

◊ BEAVER   ◊ GOPHER   ◊ PIKA

◊ CAVY   ◊ GROUNDHOG   ◊ RABBIT

◊ CHINCHILLA ◊ GUINEA PIG   ◊ SEWER RAT

◊ COYPU   ◊ LEMMING   ◊ SQUIRREL

◊ DEGU   ◊ MEERKAT   ◊ WOODCHUCK

Tea Time

```
G T A I W A N H T S Q B I
A I E J G T C H E X S R B
V B G N I L E E J R A D F
D C L E N N R L A I B E A
N S H O S C D O E E J A L
T I L I E C O I E I D H L
E E S Y N D B M A D U Y N
V O L A G A N Q T N I E S
L O P O D U K V A E E R B
N A M U H M I N W R M G T
J A L C W S Z T G Y A Y A
S L H N A I S S U R S D O
A U C A E I A S E V S A S
Y G R A T N A P U R A L A
C I J U A H C T A M Z E X
```

◊ ASSAM

◊ BADULLA

◊ CEYLON

◊ CHINA

◊ CHUN MEE

◊ DARJEELING

◊ DOOARS

◊ GINSENG

◊ GREEN

◊ HERBAL

◊ HUNAN

◊ INDIA

◊ JAPAN

◊ LADY GREY

◊ MATCHA UJI

◊ RATNAPURA

◊ RUSSIAN

◊ TAIWAN

222   **All Wrong**

```
N P U P L X R L S S O I L
F E P N E T T C A X E N I
R X K X J F I M O C K O U
Y S L A J U A F L K S P N
U F F I T N S K N S T P B
Y O Z T V S P T E U M O H
R R R C M E I H T O R R I
Z G A E Z A P M O E D T T
S E Y R O S B T L N A U J
D D U R T O V E B O Y N L
N P D O W N Z F U R S E I
D A B C A A O G R R V O D
R B R N Z B T C A E T R L
H F B I N L M A H S G N Y
K D B N I E Q H B T M P U
```

◊ AWRY

◊ BAD

◊ CONTRARY

◊ ERRONEOUS

◊ EVIL

◊ FAKE

◊ FORGED

◊ INCORRECT

◊ INEXACT

◊ INOPPOR-
  TUNE

◊ MISTAKEN

◊ MOCK

◊ PHONY

◊ SHAM

◊ UNFIT

◊ UNJUST

◊ UNSEASON-
  ABLE

◊ UNTRUE

Hobbies and Pastimes

```
P D R K O G F C S T L E D
L C U R L N N R R E N S H
S A I L I N G I O S N C M
G N I K I H Q S H W I P K
P A O R B A I V T S I R O
S Y R E K O O C U A I N E
E K Y A M N S M I D M F G
L S I D T B I C Y Z E P S
E E X I K W R T A G O Y S
W C F N N E E O T V K A E
J X Q G P G P L I I I Q H
M W J U J I T S U D N N C
A K W U V O J C M A E G G
P Q D L L A B T O O F R Z
Y O N O T N I M D A B N Y
```

◊ BADMINTON ◊ FOOTBALL ◊ READING

◊ CAVING ◊ HIKING ◊ ROWING

◊ CHESS ◊ JUDO ◊ SAILING

◊ COOKERY ◊ JU-JITSU ◊ SKIING

◊ EMBROIDERY ◊ KNITTING ◊ STAMPS

◊ FISHING ◊ MUSIC ◊ YOGA

Silent "G"

```
R Q N G E R T T S R A E L
E Q F N N H K G G S P N O
W J A E G I N O Y E G Y P
W B T U I A N N R I V L P
E Z O K W G T G O S L S U
H R R E S A N C I E G A G
W S D L G E O M N S A S N
R B A M C L S G G L T A V
E P A N O T I Q G E B S D
H W G G G N C V N I L T V
G T N I E X E G O G X H E
I E N B E B N T S H E G P
H L I V C O N D I G N I X
V P D E M D J I S E E R V
K F N E S E T X W R O E A
```

◊ BENIGN   ◊ GNASH   ◊ PHLEGM

◊ COIGN   ◊ GNAWED   ◊ RIGHTS

◊ COLOGNE   ◊ GNOME   ◊ SIGNING

◊ CONDIGN   ◊ GNOSIS   ◊ SLEIGH

◊ EPERGNE   ◊ HIGHER   ◊ SYNTAGM

◊ FEIGN   ◊ OPPUGN   ◊ WROUGHT

Solutions

1

2

3

4

5

6

7

8

Solutions

9

10

11

12

13

14

15

16

Solutions

17

18

19

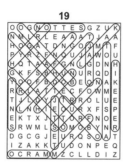

20

21

22

23

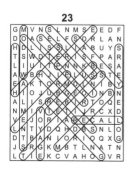

24

Solutions

25

26

27

28

29

30

31

32

Solutions

33

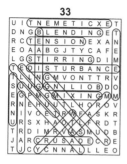

34

35

36

37

38

39

40

Solutions

41

42

43

44

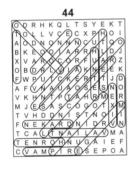

45

46

47

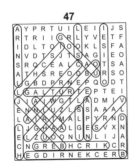

48

Solutions

49

50

51
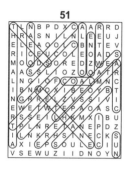

52

53

54

55
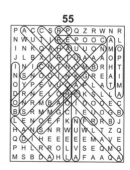

56

Solutions

57

58

59

60

61
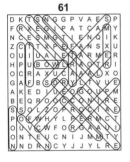

62
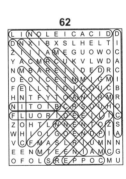

63
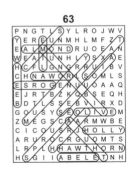

64

Solutions

65

66

67

68

69

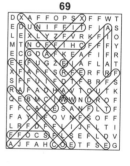

70

71

72

237

Solutions

73

74

75

76

77
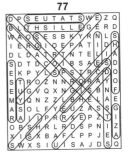

78

79

80
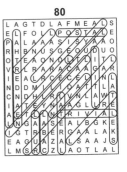

Solutions

81

82

83

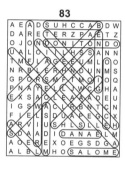

84

85

86

87

88

Solutions

89

90

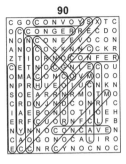

91

92

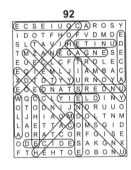

93

94

95

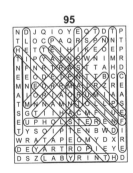

96

Solutions

97

98

99

100

101

102

103

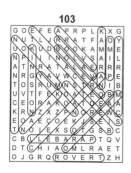

104

Solutions

105

106
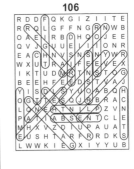

107

108

109

110

111

112

Solutions

113

114

115

116

117

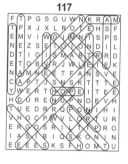

118

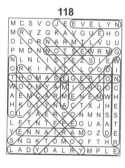

119

120

Solutions

121

122

123

124

125
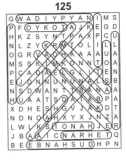

126

127
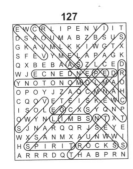

128

Solutions

129

130

131

132

133

134
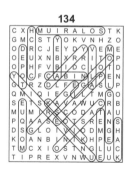

135

136

Solutions

137

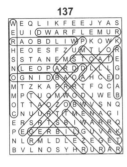

138

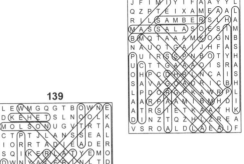

139

140

141

142

143

144

Solutions

145

146
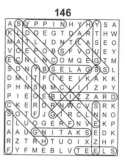

147

148

149
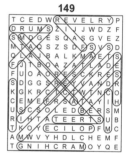

150

151

152

Solutions

153

154

155

156

157

158

159

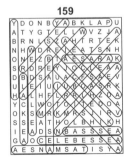

160